BLED

CP/CE1

Grammaire
Orthographe
Conjugaison

Édouard BLED
Directeur honoraire de collège à Paris

Odette BLED
Institutrice honoraire à Paris

Nouvelle édition 2009
assurée par **Daniel BERLION**
Inspecteur d'académie

hachette
ÉDUCATION

Directrice éditoriale : Stéphanie-Paule SAÏSSE
Éditeur assistant : Julie BERTHET
avec la collaboration de Nataliya KRUGLOVA
Création de la maquette de couverture : Laurent CARRÉ et Estelle CHANDELIER
Création de la maquette intérieure : Laurent CARRÉ
Mise en pages : MÉDIAMAX
Fabrication : Nicolas SCHOTT

Pour Hachette Éducation, le principe est d'utiliser des papiers composés de fibres naturelles, renouvelables, recyclables, fabriquées à partir de bois issus de forêts qui adoptent un système d'aménagement durable.
En outre, Hachette Éducation attend de ses fournisseurs de papier qu'ils s'inscrivent dans une démarche de certification environnementale reconnue.

ISBN : 978-2-01-117399-7

www.hachette-education.fr

Avant-propos

L'apprentissage de l'orthographe exige des efforts patients, persévérants et ordonnés. Mme et M. Bled adoptèrent cette démarche dans tous leurs ouvrages. Nous avons tenu à conserver cette ligne de conduite qui a assuré le succès de la collection. L'exhaustivité, la clarté de la présentation, la formidable somme d'exercices (plus de 450 pour cet ouvrage !) que l'élève doit aborder avec méthode et détermination, clé de ses progrès, nous en avons fait notre miel. Tous les utilisateurs du *Bled* retrouveront ces qualités qui structurent un enseignement difficile pour le maître et un apprentissage rigoureux pour l'élève.
Pourquoi une refonte puisque la permanence de ces valeurs n'échappe à personne ?

Depuis 1946, date de la première édition, les conditions d'enseignement ont changé. L'accent a été mis sur les difficultés figurant dans les programmes de 2008, même si quelques extensions sont proposées. Sur de nombreux points, certains élèves sont à même de poursuivre leurs apprentissages à partir des bases qui leur sont données. Nous avons donc voulu offrir à l'élève le plus en difficulté un ouvrage qui lui permette de reprendre confiance, et à l'élève le plus avancé dans ses apprentissages une possibilité de perfectionner son orthographe.

Nous avons également actualisé le vocabulaire pour placer l'élève devant des situations qu'il rencontrera quotidiennement : la télévision, Internet, le sport, les moyens de transport, les modes alimentaires, les loisirs, les voyages, etc.

L'examen de milliers d'écrits d'élèves nous a conduit à intégrer **plusieurs leçons de grammaire**. Comment écrire la phrase *« Les gros camions roulent lentement. »*, si on ne distingue pas le verbe du nom, l'adverbe de l'adjectif ? L'élève trouvera dans cette partie « Grammaire » les notions indispensables pour écrire correctement. Il sera conduit à identifier la nature des mots pour pouvoir appliquer, dans la partie « Orthographe grammaticale », les règles qui président aux différents accords dans la phrase.

Au cycle 2, l'élève aborde la lecture et découvre qu'un même son peut être transcrit par plusieurs graphies, de même qu'une graphie peut représenter des sons différents. Nous consacrons de nombreuses leçons dans la partie « Orthographe d'usage » à l'étude de ces écritures, source de confusions.

L'étude de la conjugaison a également une grande importance. Le verbe est le mot essentiel de la phrase. L'élève doit se familiariser avec ses formes, tant pour acquérir une bonne orthographe que pour construire des phrases correctes. Nous présentons les verbes *avoir* et *être*, puis les verbes du 1er groupe aux formes régulières, au présent, au futur simple, au passé composé et à l'imparfait de l'indicatif. Même si les verbes *faire, aller, dire, venir* présentent des formes irrégulières, leur fréquence d'emploi impose de les étudier avec le plus grand soin.

À travers l'apprentissage de l'orthographe, c'est en fait la maîtrise de la langue que nous visons ; si l'élève est à l'école de la rigueur et de la correction, il (elle) automatisera progressivement son orthographe et sera ainsi plus attentif(ve) à tous les problèmes que pose une expression personnelle, puisque c'est bien évidemment l'objectif ultime : **mettre l'orthographe au service de l'expression de l'élève**.

Daniel BERLION

Alphabet phonétique

consonnes		voyelles	
[b]	bal	[a]	partir
[d]	dent	[ɑ]	pâte
[f]	foire	[ɑ̃]	dans
[g]	gomme	[e]	dé
[k]	clé	[ɛ]	belle
[l]	lune	[ɛ̃]	singe
[m]	mer	[ə]	demain
[n]	nage	[i]	gris
[ɲ]	ligne	[o]	gros
[p]	porte	[ɔ]	note
[ʀ]	rire	[ɔ̃]	long
[s]	soir	[œ]	leur
[ʃ]	chien	[œ̃]	brun
[t]	train	[ø]	deux
[v]	vite	[u]	fou
[z]	zèbre	[y]	pur
[ʒ]	jeune		

semi-voyelles (ou semi-consonnes)	
[j]	paille
[ɥ]	huit
[w]	oui

Grammaire

1re Leçon — La phrase — La ponctuation

Les parents rencontrent le directeur de l'école.

RÈGLE

Une phrase est un ensemble de mots qui a un sens.
Elle commence par une **lettre majuscule** et se termine par un **point**.

La voiture tourne à droite. Le film débutera à dix heures.

En général, il y a au moins un verbe dans chaque phrase.

Quand on lit une phrase à haute voix, le découpage des mots n'est pas toujours le même qu'à l'écrit car on fait des **liaisons** et on rencontre des **apostrophes**.

Les‿enfants boivent du jus d'orange.

1 Recopie et ajoute les points et les majuscules pour faire des phrases. ★

comme il y a du vent, nous fermons les fenêtres — les lacets de tes baskets sont défaits — les hommes préhistoriques vivaient dans des grottes — cet appareil fonctionne avec une pile miniature — toute la classe va à la piscine — le mécanicien change les pneus de la voiture — vous ouvrez vos livres à la première page — les camions stationnent sur le parking de l'autoroute

2 Recopie ces phrases sans le mot en trop. ★

Karine range ses chacun vêtements dans le placard. — Madame Roger met un lorsque sucre dans son café. — La confiture pont attire les guêpes. — Le plombier répare le robinet devant du lavabo. — Inès porte une respire superbe robe. — Tu pèles la pomme sur avec un petit couteau. — Ce chien se laisse chambre facilement caresser. — J'éteins la lumière manger avant de sortir. — L'escargot sort ses château cornes quand il pleut.

3 **Recopie et sépare les mots pour former des phrases.** ★★

MadameDavidachètedesfromagesdechèvre.
Lemoniteurdejudonousdonnedesconseils.
Élisepassedebonnesvacancesaubord delamer.
Tunourristonhamsteravecdelasalade.
Évabavardeunpeuavecsavoisine.

4 **Recopie seulement les groupes de mots qui forment une phrase.** ★★

Nous sortons dans la cour. — Cahier porte maison cherche. — Le bois brûle dans la cheminée. — Poupée avant grand de chauffe. — Monsieur Dumas cultive des légumes dans son jardin. — Maison voile moulin distribue tu demain. — Je fais mes devoirs avant de jouer. — Gardien plus lisent lettres chaque visiterons.

5 **Remets ces mots dans l'ordre pour former des phrases.** ★★

piano. – frère – du – Mon – joue
Le – pêche – bateau – port. – de – rentre – au
est – Ce – très – gouffre – profond.
animé. – Emma – un – regarde – dessin
bleus. – Les – joueurs – maillots – des – ont

6 **Recopie ces phrases et complète avec les verbes qui conviennent.** ★★

écoute – écrit – descendent – regardes – allume – reculons

Tu … les chamois avec des jumelles. — La maîtresse … au tableau. — Nous … de trois pas. — Marlène … de la musique. — Les voyageurs … du train. — J'… ma console de jeux.

7 **Recopie ces phrases et place correctement les apostrophes.** ★★★

Je nai pas entendu la sonnerie du téléphone. — Larbre du jardin perd ses feuilles. — Julia a poussé un cri quand linfirmière lui a fait une piqûre. — Louis sendort avec son ours en peluche dans les bras. — Claire se rend à laéroport pour prendre lavion. — Lœuf de lautruche est énorme. — Lagriculteur sinstalle au volant de son tracteur.

Révisions : exercices 78 et 79 page 30

2e Leçon Les noms

Mon frère Yanis donne des graines aux pigeons.

RÈGLE

Les **noms communs** désignent une personne, un animal, une chose en général. Ils sont généralement accompagnés d'un petit mot que l'on place devant : le **déterminant**.

un enfant – une biche – la sœur – le chien
des bureaux – du lait – les animaux

Les **noms propres** désignent une personne, un animal, un lieu en particulier.
Ils commencent par une **lettre majuscule**.

Aurélien – Laura – Milou – Lille – la Provence

8 Recopie seulement les noms communs de ces listes. ★

quoi	le jardin	doux	une mouche
la langue	chercher	un panier	depuis
cuire	l'ombre	vite	la salle
un bras	tenir	un bouquet	parler
perdre	un passage	nous	un mouchoir
une fête	comment	un éléphant	quand

9 Recopie ce tableau et classe les noms suivants. ★★

Noms communs	Noms propres

Martine — une étoile — Gélinotte — le lait — l'Italie — l'arrivée — Blanche-Neige — une statue — Lyon — une casquette — l'Europe — un immeuble — Mars — la barque — Tintin — un défaut — Mickey — la salade — Pennac — la tête — un train — le bureau — la Loire — Mozart — un stylo — un Airbus — le trottoir

10 **Recopie ces phrases et entoure tous les noms.** ★★

Une échelle est posée contre le mur de la maison.
C'est bientôt l'heure de la récréation.
Nous avons fait la course autour du stade.
Vous pouvez boire l'eau de la fontaine : elle est propre.
Les racines de l'arbre s'enfoncent dans le sol.
La poule vient de pondre un œuf.

Grammaire

11 **Recopie ce tableau et classe les noms suivants.** ★★

Noms communs qui désignent un être vivant	Noms communs qui désignent un objet

le singe — un livre — un cheval — un journal — la gazelle — le toit — la vache — un bateau — une maîtresse — une veste — un facteur — la clé — une couturière — un sac — le pain — un docteur — une chaise — une conductrice — une gomme — un oiseau — le fauteuil — un poisson — un banc — un bijou — un lutin

12 **Recopie et complète les phrases avec les noms communs qui conviennent.** ★★★

clé – sortie – nuit – neige – clou – machine

Papa met les couverts dans la … à laver la vaisselle.
La …, les voitures doivent allumer leurs phares.
N'oublie pas de fermer la porte à … quand tu partiras.
Pour enfoncer un …, il faut prendre un marteau.
À la fin de la matinée, les élèves se dirigent vers la … de l'école.
On voit de la … au sommet de la montagne.

13 **À côté de chaque nom commun, écris le nom propre qui lui correspond.** ★★★

la Seine – Paris – Dupont – Cendrillon – la France – Mistigri

un garçon → Lucas

un pays → …	un chat → …	une ville → …
un nom de famille → …	un fleuve → …	une princesse → …

Révisions : exercice 80 page 30

3e Leçon Les déterminants

Tes cousins t'apportent des cadeaux pour ton anniversaire.

RÈGLE

Le nom est très souvent précédé d'un **déterminant**.
Les **articles** sont les principaux déterminants.

Les articles **singuliers** :
le chant – la classe – l'école
un banc – une chaise
du lait – au parc

Les articles **pluriels** :
les couloirs
des marches
aux élèves

Il existe d'autres déterminants placés devant les noms.
mon anorak – ta place – notre appartement – leurs cheveux
ce matin – cet animal – cette route – ces vitres

14 Recopie ces mots. Entoure les noms et souligne les déterminants. ★

un lion	la lecture	des numéros	une porte
une croix	l'année	la famille	des poupées
du sucre	un escalier	au stade	un café
des cartes	les légumes	une barbe	des maillots
le moulin	la plante	les étages	l'abri
l'étude	un chemin	un devoir	des tasses

15 Recopie et place l'article la ou le devant chaque nom. ★

… rue	… carton	… nature	… sable
… cheminée	… bébé	… marque	… ligne
… cœur	… cage	… sel	… fromage
… chef	… chasse	… courage	… force
… couverture	… timbre	… magasin	… tortue
… téléphone	… jeu	… vitrine	… peinture

16 **Recopie et place l'article la, le ou l' devant chaque nom.** ★★

… orange	… rose	… monde	… usine
… neige	… froid	… rivière	… bord
… princesse	… peur	… ville	… fourchette
… vent	… valise	… entrée	… couvercle

17 **Recopie et place l'article un ou des devant chaque nom.** ★★

… voyages	… ciseaux	… mouchoir	… groupes
… exercice	… joueur	… épaules	… bassin
… diable	… euros	… jours	… plats
… ballons	… copain	… pantalon	… robinet

18 **Recopie et place l'article une ou des devant chaque nom.** ★★

… tartines	… figure	… couleurs	… lunettes
… dictée	… planches	… chemise	… cabine
… semaine	… muraille	… récolte	… date
… visite	… plumes	… fées	… opérations

19 **Recopie ces mots. Entoure les noms et souligne les déterminants.** ★★★

ma console	nos pions	tes chaussures	ce bouchon
cet aliment	ta bouche	mon pouce	ces pommes
tes mains	vos yeux	leur front	ses ongles

20 **Recopie ces phrases et entoure les déterminants.** ★★★

Loana étale doucement la pâte à modeler avec un rouleau.
Ce passant traverse l'avenue sur les passages protégés.
Les spectateurs agitent des fanions et soufflent dans des trompettes.
Mon bonnet et mes gants mouillés sèchent près du radiateur.

21 **Recopie ces phrases et complète avec des articles.** ★★★

… cuisinier épluche … carottes et … haricots verts. — … malade a mal à … gorge ; il boit … sirop. — Qui va distribuer … cahiers … élèves aujourd'hui ? — Valentin s'approche … feu de … cheminée.

Révisions : exercices 81 et 82 page 30

4e Leçon

Les adjectifs qualificatifs

La jeune fille monte le petit poney.

RÈGLE

L'adjectif qualificatif apporte une précision au nom.
un blouson neuf – un blouson déchiré – un blouson chaud

Il peut être placé **avant** ou **après** le nom.
une agréable matinée – une matinée brumeuse

L'adjectif qualificatif est du **même genre** et du **même nombre que le nom**.
masculin singulier → un bon dessert
féminin singulier → une bonne tarte
masculin pluriel → de bons desserts
féminin pluriel → de bonnes tartes

22 Recopie ces groupes de mots et entoure les adjectifs qualificatifs. ★

des produits naturels
une rivière navigable
une pleine assiette
le téléphone portable
un passage souterrain
du bois mort
un film intéressant
un devoir soigné
une tomate juteuse
une haute tour
de précieux diamants
une belle journée
des panneaux solaires
une sévère défaite
un air entraînant

23 Recopie ces groupes de mots et supprime les adjectifs qualificatifs. ★

une côte rocheuse
une grave blessure
un pantalon moulant
un parking complet
une mer bleue
des lèvres rouges
des plantes rares
une jupe rayée
une table basse
un petit rosier
un simple numéro
une épaisse moquette
un prix élevé
un gros morceau
une magnifique maison

24 **Recopie ces groupes de mots et complète avec l'adjectif qualificatif qui convient.** ★

(scolaire – secrète – sauvage) une bête ...
(portable – musclée – gratuite) une place ...
(aveugles – amers – blonds) des cheveux ...
(bronzé – adroit – orageux) un visage ...

25 **Recopie ces phrases et complète avec les adjectifs qualificatifs qui conviennent.** ★★

petits – blanche – facile – râpé – bleu – jetable

La mariée porte une robe ... . — Mon père utilise un rasoir ... chaque matin. — Le Petit Poucet a semé des ... cailloux pour retrouver son chemin. — Il n'y a pas un seul nuage dans le ciel ... . — La maîtresse a posé une question ... . — Enzo met du gruyère ... sur les pâtes.

26 **Recopie ces groupes de mots et complète avec des adjectifs qualificatifs de ton choix.** ★★★

un ... vêtement	une chanson ...	un geste ...
un vent ...	une ... valise	les travaux ...
un renard ...	un fromage ...	une personne ...
un résultat ...	un tableau ...	un bonnet ...

27 **Recopie ces phrases et complète avec des adjectifs qualificatifs de ton choix.** ★★★

Le directeur de l'école interdit les jeux ... dans la cour. — Un monstre ... apparaît sur l'écran du téléviseur. — Tu jettes les fleurs ... . — Prenez soin de cet objet ... . — Pour dessiner, je prends une ... feuille. — Karim écrit de la main ... . — Marche doucement sur le trottoir ... . — Antoine prend un bifteck ... avec ses haricots verts.

28 **Recopie et change l'adjectif qualificatif en gras pour dire le contraire.** ★★★

un élève **absent** → un élève **présent**

un plat **chaud**	du linge **mouillé**	un joueur **maladroit**
des drapeaux **noirs**	une fenêtre **fermée**	un problème **difficile**
le **premier** jour	des mots **inconnus**	un **petit** détour

Révisions : exercice 83 page 31

5e Leçon — Le groupe nominal

Nathan monte sur un énorme **bateau** à voiles.

RÈGLE

Autour d'un **nom principal**, on peut trouver d'autres mots :
- un **déterminant** :
  une rue – des cahiers
- un ou des **adjectifs qualificatifs** :
  une petite rue étroite – de grands cahiers noirs
- parfois d'autres mots qui apportent une précision :
  une petite rue du quartier – un grand cahier de dessin

L'ensemble forme le **groupe nominal**.

Dans un groupe nominal, on peut supprimer tous les mots qui accompagnent le nom, sauf le déterminant. Mais la phrase est alors moins précise.

Nathan monte sur un bateau.

29 Recopie ces groupes nominaux et entoure le nom principal. ★

une porte fermée	des aliments salés	des haricots verts
une roue crevée	des mots soulignés	des moutons tondus
une lumière allumée	une fête réussie	un magasin ouvert
des personnes âgées	un geste brusque	le chauffage central

30 Recopie ces mots dans l'ordre pour former des groupes nominaux. ★

appartement bel un	une électrique **guitare**
des fanées **fleurs**	**place** une libre
histoire amusante une	courageux un **pompier**
ligne une droite	plate une **assiette**
sombre une **pièce**	**princesse** jolie une

31 **Recopie ces groupes nominaux et entoure le nom principal.** ★★

une voiture en panne — du jus d'orange — une boucle d'oreille
une bouteille d'eau — un endroit charmant — des fromages de chèvre
des boîtes de conserve — un casque de motard — un stylo à bille

32 **Recopie ces mots dans l'ordre pour former des groupes nominaux.** ★★

une au **tarte** sucre — un au **pain** chocolat — du monde **Coupe** la
théâtre une de **pièce** — fées de un **conte** — les Noël de **cadeaux**
arrivée train l' du — chat les du **griffes** — un de peinture **pot**
fête l' de la école — de une ciseaux **paire** — lecture un de **livre**

33 **Recopie ces groupes nominaux et supprime les adjectifs qualificatifs.** ★★

l'heure exacte — le jardin public — une triste fin
du poisson pané — un repas familial — le gentil lutin
un véritable trésor — un résultat juste — des enfants timides
des fruits mûrs — un ciel nuageux — des animaux sauvages

34 **Recopie ces phrases et entoure les groupes nominaux.** ★★

J'entends la sonnerie du téléphone. — On est aveuglé par les phares éblouissants. — Farid lit une bande dessinée. — Le marin aperçoit une petite île. — Le public admire les rapides chevaux de course. — Tu plies le linge propre. — Léa enfile un collant rose.

35 **Transforme ces phrases en ne gardant dans les groupes nominaux que le nom principal et son déterminant.** ★★★

Les petits oiseaux sont dans un nid douillet.
→ Les oiseaux sont dans un nid.

Le terrible dragon se cache dans une grotte mystérieuse. — Le beau cavalier caresse son fougueux cheval. — Les clients pressés achètent des produits frais. — Les gentils dauphins amusent les jeunes enfants. — Les meilleurs acrobates font des sauts fantastiques. — Un joueur chanceux a gagné le gros lot.

Révisions : exercice 84 page 31

6e Leçon — Les pronoms personnels sujets

Je regarde la pendule du couloir : elle indique l'heure.

RÈGLE

Les pronoms personnels sujets remplacent des noms ou des groupes nominaux. Ils sont placés près des verbes.

je parle → 1re personne du singulier
tu parles → 2e personne du singulier
il/elle parle → 3e personne du singulier
nous parlons → 1re personne du pluriel
vous parlez → 2e personne du pluriel
ils/elles parlent → 3e personne du pluriel

Lorsque le verbe commence par une voyelle, **je** prend une apostrophe.

J'arrive en avance.

36 **Recopie ces phrases et entoure les pronoms personnels sujets.** ★

Vous nettoyez les pinceaux.
Je découpe des images.
Nous jouons au Mémory.
Ils portent des lunettes.
Elle distribue les cahiers.
Tu remplis le seau.
Portent-elles des bagues ?
Aimes-tu le fromage ?
Avez-vous bien dormi ?
Boit-il du soda ?
Saurons-nous répondre ?
Irai-je à la piscine ?

37 **Recopie ces phrases et entoure les pronoms personnels sujets.** ★

Vous découvrez un nouveau jeu. — Chaque matin, nous écrivons la date au tableau. — Tu connais le nom de ce chanteur. — Ils continuent leur chemin. — Il lèche sa patte. — Je joue du piano. — Après le repas, vous pliez votre serviette. — Nous cueillons des mûres.

38 **Recopie ces phrases et complète avec des pronoms personnels sujets de ton choix.** ★★

… fais ton lit tous les matins. — … peigne ses cheveux. — … prenez votre parapluie. — … sortent leurs livres. — … apprenons nos leçons. — … relis mon exercice. — … enfilent leurs gants. — … chantons un refrain. — … rase sa moustache. — … pars chez ton cousin. — … obéis à mes parents. — … formez une ronde.

39 **Recopie ces phrases et remplace les pronoms personnels sujets en gras par ces groupes nominaux.** ★★

La vache – Les promeneurs – Les garçons – le car – les voyageurs

Elle broute de l'herbe dans le pré. — **Ils** jouent au ballon dans la cour. — Comme **il** est en retard, **ils** n'arriveront pas à l'heure. — **Ils** voient un lapin derrière le buisson.

40 **Recopie ces phrases et remplace les groupes nominaux en gras par des pronoms personnels sujets.** ★★

La caissière du supermarché rend la monnaie. — **Le chien** aboie toute la journée. — **Les baleines** ne sont pas des poissons. — **Le pâtissier** prépare des gâteaux. — **Les camions** ne roulent pas très vite. — **Les pêcheurs** accrochent des vers de terre à leur hameçon.

41 **Recopie ces phrases, entoure chaque pronom personnel sujet et souligne le groupe nominal qu'il remplace.** ★★★

Patrice prend son cartable et (il) part à l'école.

Le chat a faim ; alors il mange des croquettes. — Les fleurs sont fanées ; elles devront être coupées. — Les avions décollent et ils font beaucoup de bruit. — La pile ne fonctionne plus ; elle sera remplacée. — Les arbres perdent leurs feuilles ; elles jaunissent.

42 **Recopie ces phrases et remplace les groupes nominaux en gras par des pronoms personnels sujets.** ★★★

L'oiseau est sur la branche. **L'oiseau** chante. → **Il** chante.

L'émission commence. **L'émission** durera trente minutes. — Élise est sérieuse. **Élise** fait ses devoirs avant de jouer. — Les baguettes de pain sortent du four. **Les baguettes de pain** sont chaudes.

Grammaire

Révisions : exercice 85 page 31

7e Leçon — Le verbe

Le cycliste pédale vite ; les autres coureurs ne le rattraperont pas.

RÈGLE

Les verbes indiquent ce que font les personnes, les animaux, les choses. Les verbes sont les mots les plus importants des phrases.

Damien épluche les pommes de terre.
Damien adore les gâteaux.

Le verbe change selon le **moment de l'action** (passé, présent, futur) et selon la **personne** qui fait l'action : on dit qu'il est **conjugué**.

Nous épluchions les pommes de terre.
Les enfants adorent les gâteaux.

Parfois le verbe s'écrit **en deux mots**.

Les enfants ont adoré les gâteaux.
Chloé est sortie de la cuisine.

Dans un dictionnaire, les verbes sont écrits à l'**infinitif**.

marcher – choisir – descendre – venir

43 Recopie ces phrases et entoure les verbes. ★

Tu étalais la confiture sur ta tartine de pain. — Antoine écoutera de la musique. — Nous inscrivons notre nom sur la feuille. — Vous souffrez d'un mal de dents. — Je plongerai dans la piscine. — Le vendeur pèse les légumes. — Les spectateurs applaudissent des deux mains. — Les élèves sortent en récréation.

44 Recopie seulement les verbes de ces listes. ★

le marin	bientôt	sauter	solide
autour	conduire	avec	réussir
devenir	la peur	fondre	triste
flotter	quitter	le départ	quelque

45 **Recopie ces phrases et complète avec les verbes qui conviennent.** ★★

arrivera – partons – mangez – décore – croient – crains

Sophie ... sa chambre avec des photos de ses vacances. — Tu ... les piqûres de guêpes. — Ces enfants ne ... plus au Père Noël. — L'autobus n'... que dans quelques minutes. — Vous ... des pêches. — Nous ... à la rencontre de nos copains.

46 **Recopie ces phrases et entoure seulement les verbes conjugués.** ★★

Stella enfile des perles pour faire un collier. — Tu dois suivre les indications de la monitrice. — Léo laisse cuire le rôti pendant deux heures. — Les joueurs essaient de défendre leur camp. — Plus tard, je voudrais bien apprendre à piloter une moto.

47 **Recopie ces phrases et entoure seulement les verbes à l'infinitif.** ★★

Il ne faut pas toucher la casserole brûlante. — Emma doit choisir une nouvelle paire de chaussures. — Ne restez pas ici : il n'y a rien à voir. — Les panneaux conseillent aux automobilistes de ralentir. — Pour apprendre ta leçon, tu éteins la télévision.

48 **Réponds à ces questions avec les verbes suivants.** ★★★

fume – attaquent – ronge – atterrissent – éclairent

Que font les phares ? Ils ... la route. — Que font les lions ? Ils ... les malheureuses gazelles. — Que fait la cheminée ? Elle ... . — Que fait le chien ? Il ... son os. — Que font les avions ? Ils ... .

49 **Recopie ces phrases et écris l'infinitif des verbes en gras.** ★★★

L'infirmière **soigne** le malade. → soigner

Vous **balayez** la salle de classe. — Axel **descend** par l'escalier. — Tu **brosses** tes cheveux. — Je **pioche** une carte dans le paquet. — La maîtresse **raconte** une histoire. — Tu **entends** des bruits étranges. — Les cosmonautes **voient** la Terre toute bleue.

Révisions : exercice 86 page 31

8e Leçon — Le sujet du verbe

Les rayons du supermarché offrent un choix de produits.

Règle

Le sujet du verbe indique **qui fait l'action**.
Le **sujet du verbe** peut être :
- un **nom commun** : La partie commence.
- un **nom propre** : Malik joue de la guitare.
- un **pronom personnel** : Nous regardons une émission.
- un **groupe nominal** : Le gardien de but arrête le ballon.

On peut trouver le sujet en posant la question « Qui est-ce qui... ? » ou « Qu'est-ce qui... ? » devant le verbe.

Qui est-ce qui joue de la guitare ? → C'est Malik.
Qu'est-ce qui commence ? → C'est la partie.

50 Recopie ces phrases et entoure les sujets des verbes en gras. Tu poseras la question « Qui est-ce qui... ? ». ★

La maîtresse **raconte** une histoire.
→ Qui est-ce qui raconte une histoire ? La maîtresse.

Nos correspondants **envoient** des photographies de leur école. — Tu **bois** un verre de sirop de grenadine. — Les manèges **attirent** les enfants. — Je **savoure** une barbe à papa. — Le facteur **distribue** le courrier. — Les magasins **resteront** ouverts toute la journée.

51 Recopie ces phrases, souligne les verbes et entoure les sujets. ★

Cathy regarde l'heure. — La moutarde pique le nez. — Nous jetons des graines aux pigeons. — Le professeur corrige les cahiers du jour. — Vous partirez bientôt en voyage. — L'ascenseur monte jusqu'au quinzième étage. — Je prends des précautions pour déplacer la casserole. — Le jeune serveur apporte une salade de tomates.

52 **Recopie ces phrases et complète avec les sujets qui conviennent.** ★

Le poisson – La grue – Le veau – Nous – Sylvain et Déborah

… transporte des blocs de béton. — … mord à l'hameçon. — … ouvrent leurs cadeaux. — … tète les mamelles de la vache. — … remplissons le seau avec du sable.

53 **Recopie ces phrases et complète avec les sujets qui conviennent.** ★

les oiseaux – les bateaux – j' – vous – tu – le gardien

Pour aller à l'école, … prenez un autobus. — Tous les soirs, … ferme la porte de l'immeuble. — Le matin, … ranges ta chambre avant de partir. — L'hiver, … souffrent du froid. — Avant la tempête, … rentrent au port. — Au musée, … ai vu une belle statue.

54 **Transforme ces phrases comme dans l'exemple.** ★★

Margaux déguste un éclair au chocolat.
→ **C'est** Margaux **qui** déguste un éclair au chocolat.

Sandrine donne la main à sa petite sœur. — L'acrobate est en équilibre sur son fil. — Les sangliers ravagent les champs de maïs. — Quelqu'un sonne à la porte. — Le mécanicien répare la voiture. — Tes parents rencontrent le directeur de l'école.

55 **Recopie ces phrases, entoure les sujets et souligne le nom principal.** ★★★

Nos cousins de Nîmes nous donnent des nouvelles de toute la famille. — Le chauffeur du camion roule sur la voie de droite. — Le bouquet de fleurs parfume l'appartement. — Toute la classe se rend à la bibliothèque. — Les grimaces du clown font rire les enfants.

56 **Recopie ces phrases et complète avec des sujets de ton choix.** ★★★

En automne, … tombent sur le sol. — … écoute le cœur du malade. — … ai cassé la manette de mon jeu vidéo. — … a gagné la course du tiercé. — … casse les noisettes avec ses dents pointues. — … enfilez des bottes pour marcher dans l'eau.

 Révisions : exercices 87 et 88 pp. 31 et 32

9e Leçon Approche de l'adverbe

Au mois de juin, un soleil plutôt chaud brille souvent.

RÈGLE

Les adverbes sont des mots qui précisent ou modifient le sens :
- d'un **verbe** : Bastien parle beaucoup.
- d'un **adjectif qualificatif** : L'échelle est trop courte.

Ils s'écrivent toujours de la même façon : ils sont **invariables**.

La place est toujours libre. → Les places sont toujours libres.
Le gâteau est assez sucré. → Les gâteaux sont assez sucrés.

Si on les supprime, la phrase a toujours un sens.

La place est libre. Les gâteaux sont sucrés.

Beaucoup d'adverbes se terminent par le son [mɑ̃].

gentiment – heureusement – directement

57 Recopie ces phrases et supprime les adverbes en gras. ★

Quand on l'appelle, Pablo se lève **brusquement**. — L'étoile est **si** loin ; on ne la voit qu'avec des jumelles. — Cette valise est lourde ; elle pèse **environ** dix kilos. — On peut acheter **partout** ce jeu électronique. — En buvant ce sirop, ta toux passera **tout de suite**. — **Autrefois**, les gens voyageaient en diligence.

58 Recopie ces phrases et entoure les adverbes. ★★

Le feuilleton a duré longtemps. — Ce vêtement est tout neuf. — Le dimanche soir, Lionel se couche tôt. — Mélissa est très contente de ses cadeaux de Noël. — Orane fredonne volontiers le refrain de cette chanson. — Tu écris ton texte au brouillon et tu le recopieras après. — Dans cet étang, on pêche parfois d'énormes brochets. — Veux-tu encore de cette délicieuse tarte aux pommes ?

59 **Recopie ces phrases et complète avec les adverbes qui conviennent.** ★★

d'abord – dehors – ailleurs – pas

Avant de manger mon yaourt, je verserai … un peu de sucre. — Tu devrais ranger ton sac … ; il peut faire tomber quelqu'un. — Dans ma trousse, il n'y a … de place pour un nouveau stylo. — La nuit, le chat de Jessy dort …, sinon il fait des bêtises dans la maison.

60 **Recopie ces phrases et entoure les adverbes.** ★★

Tu copies proprement le résumé. — L'heure de la sortie est largement dépassée. — Yasmina répond oralement à la question. — Je demande poliment un renseignement. — Nous voyons nettement le sommet de la montagne. — Le maître nageur tient fermement la perche.

61 **Recopie ces phrases et complète avec les adverbes qui conviennent.** ★★

loin – devant – debout – souvent – bien – jamais

Les personnes handicapées passent …, car elles ne peuvent pas rester … . — Cherche … et tu trouveras la solution. — Pascal n'a … lu les aventures du Chevalier noir. — Mon cousin vit … de chez moi ; alors je lui téléphone … .

62 **Forme l'adverbe qui correspond à ces adjectifs qualificatifs féminins. Aide-toi de l'exemple.** ★★★

juste → justement

adroite	brave	brusque	calme
curieuse	naturelle	triste	rare
parfaite	faible	chaude	heureuse

63 **Recopie ce tableau et classe les mots suivants.** ★★★

Noms	Adverbes

le moment — le vent —le ciment — calmement — une jument — chaudement — un torrent — fraîchement — un aliment — rudement

Révisions : exercice 89 page 32

10e Leçon — La notion de circonstance

Le samedi, les marchands s'installent sur la place du marché.

Règle

Dans une phrase, des mots peuvent apporter des précisions sur :
- le **moment** où se passe l'action :
  Je me lève à sept heures. Je me lève **quand** ? → à sept heures
- le **lieu** où se passe l'action :
  Nous jouons dans la cour. Nous jouons **où** ? → dans la cour
- la **manière** dont se passe l'action :
  Kilian rit aux éclats. Kilian rit **comment** ? → aux éclats
- la **raison** de l'action :
  Tu prends de l'élan pour sauter.
  Pourquoi prends-tu de l'élan ? → pour sauter

64 Recopie ces phrases et complète avec les mots qui indiquent le moment où se passe l'action. ★★

L'an dernier – tôt – quand on quitte une pièce – le 24 juin – Lorsqu'il pleut – Demain – bientôt – Quand l'eau bout

…, je prends un parapluie. — Vous partirez … en vacances. — …, le cuisinier verse les pâtes. — …, nous avions une jeune maîtresse. — Pauline aura huit ans … . — …, nous irons à la piscine. — Monsieur Blain se couche … . — Il faut éteindre la lumière … .

65 Recopie ces phrases et complète avec les mots qui indiquent le lieu où se passe l'action. ★★

sur le parking – au stade – vers la planète Mars – ici – dans la forêt

Les voitures stationnent … . — Ne cherche plus ton classeur : il est … . — Le Petit Poucet et ses frères étaient perdus … . — La fusée se dirige … . — Nous allons … pour jouer au football.

66 **Recopie ces phrases et complète avec les mots qui indiquent la manière dont se passe l'action.** ★★

en nageant sur le dos – quatre à quatre – en baissant la tête – par cœur – sans faire de fautes – avec prudence

Tu descends les escaliers … . — Le chauffeur conduit … . — Elsa apprend ses leçons … . — Les élèves copient le résumé … . — Samuel traverse la piscine … . — On avance dans le souterrain … .

67 **Recopie ces phrases et entoure les mots qui indiquent quand se passe l'action.** ★★★

Au mois de mai, on trouve des brins de muguet. — Quand la sonnerie retentit, nous sortons. — Au temps des hommes préhistoriques, on ne savait pas écrire. — Mon émission préférée commencera dans un instant. — La pile de livres s'est écroulée tout à coup.

68 **Recopie ces phrases et entoure les mots qui indiquent où se passe l'action.** ★★★

Comme les places du premier rang sont prises, Nina s'assoit au fond de la salle. — La famille Senna habite dans le quartier du Parc. — On range le matériel de gymnastique dans ce local. — De la poussière, il y en a partout. — La tour Eiffel se trouve à Paris. — Le pêcheur s'installe au bord de la rivière.

69 **Recopie ces phrases et entoure les mots qui indiquent la manière dont se passe l'action.** ★★★

Je chantonne doucement. — Florian court en respirant par le nez. — Tu regardes le film avec plaisir. — L'infirmière nettoie la blessure avec soin. — Vous encouragez les coureurs en agitant des drapeaux.

70 **Recopie ces phrases et entoure les mots qui indiquent la raison de l'action.** ★★★

Pour aller au centre aéré, tu dois prendre le car. — La rivière déborde à cause des pluies abondantes. — Le chat renverse le bol de lait pour jouer. — Lionel pleure parce qu'il a perdu son sac de billes. — Mattéo retourne le sol pour planter des tulipes. — Lilou se recoiffe parce qu'il y a du vent.

Révisions : exercice 90 page 32

11e Leçon
La phrase interrogative
La forme affirmative
La forme négative

Avez-vous peur ? – Non, je n'ai pas le vertige et je marche vite.

Règle

La phrase interrogative permet de poser une question. Elle se termine par un **point d'interrogation**.

Traces-tu des traits ? Est-ce que tu traces des traits ?
David trace-t-il des traits ? Qui trace des traits ?

La forme négative s'oppose à la forme affirmative.

Je trace des traits. Je ne trace pas de traits.

La **négation** est composée de deux mots qui encadrent le verbe.

Je ne trace jamais de traits. Je ne trace que des traits.
Je ne trace plus de traits. Je ne trace guère de traits.

71 Recopie ces phrases et place le point d'interrogation. ★

Le pain est-il frais — Le conte de fées se termine-t-il par un mariage — Est-ce que vous aimez les bonbons à la menthe — Qu'est-ce qui nous protège de la pluie — As-tu trouvé le résultat de cette opération — La visite du musée était-elle intéressante — Avec quoi le beurre est il fabriqué — Vos cheveux sont-ils frisés — Avez-vous déjà vu un aigle — Combien y a-t-il de wagons dans ce train

72 Recopie seulement les phrases interrogatives. ★

Le coureur a fait une chute dans le dernier virage. — Y a-t-il de la neige sur la montagne ? — J'ai un billet gratuit pour aller au théâtre de Guignol. — Les tuiles du toit sont-elles bien fixées ? — Le violon est un instrument de musique à cordes. — Le tuyau d'eau est percé. — Qu'y a-t-il d'écrit sur ton carnet ? — Le coq a-t-il chanté ce matin ? — Le cirque s'installe sur la place du village. — As-tu appris ta poésie par cœur ?

73 Recopie seulement les phrases à la forme affirmative. ★★

Olivia met la table. — Cette salle n'est pas très grande. — Sonia adore les gâteaux de riz. — Ces pêches ne sont pas mûres. — Les pneus de ton vélo sont dégonflés. — Ce plat de nouilles n'est guère appétissant. — Les moineaux se blottissent dans leur nid. — On n'a jamais su qui avait écrit sur le mur de l'école. — Tu poses l'échelle contre le mur.

74 Recopie seulement les phrases à la forme négative. ★★

Je ne regarde jamais la télévision le soir. — La confiture attire les guêpes. — Le clocher du village n'est pas très haut. — Les veaux n'ont pas encore de cornes. — Tu recules ton pion de trois cases. — Martin ne lit que des bandes dessinées. — Maxime prépare la sauce de salade. — Fumer n'est pas bon pour la santé.

75 Transforme ces phrases à la forme négative en phrases à la forme affirmative. ★★★

Je n'entends pas la sonnerie de la porte d'entrée. — La vipère n'est pas dangereuse. — Les dragons n'ont jamais existé. — La soupe n'est pas très chaude. — Le comédien ne parle pas assez fort. — Le soleil n'est pas couché. — Ce parfum ne sent pas bon. — La récréation n'est pas trop courte. — Lise ne dépose pas ses achats devant la caissière.

76 Transforme ces phrases en phrases interrogatives. Aide-toi de l'exemple. ★★★

Le lion vit dans la savane. → Le lion vit-il dans la savane ?

Le vent souffle en rafales. — Le chat poursuit la souris. — Adrien a mal à la gorge. — Le bateau de pêche rentre au port. — La séance de cinéma débute. — Christophe Colomb a découvert l'Amérique. — Le facteur apporte le courrier.

77 Transforme ces phrases à la forme affirmative en phrases à la forme négative avec ne … pas. ★★★

Ce pantalon est trop long. — L'électricité est coupée. — Le tapis est assez épais. — La pendule est à l'heure. — Mathieu est absent ce matin. — Tu as tenu ta promesse. — Vous prenez l'ascenseur. — Marlène oublie de souhaiter l'anniversaire de sa maman.

Révisions : exercices 91 et 92 page 32

78 Ne recopie que les groupes de mots qui forment une phrase.

Tu traverses la rue sur le passage protégé. — Maman branche avion sur qui plante. — Chemin bientôt je par pattes du mer. — Le cheval saute les haies. — Veste casse sur tu manteau mange. — Des nuages noirs annoncent la pluie. — L'oiseau plus tire vent marcher flèche.

Voir leçon 1

79 Recopie ces phrases sans le mot en trop.

L'ascenseur s'arrête au rivière troisième étage. — Sandra porte lorsque un bracelet en argent. — Quentin prend voix son élan et saute la barrière. — Le clown porte un pantalon cheval troué. — Le campeur du monte sa tente à l'ombre.

Voir leçon 1

80 Recopie ces phrases et entoure les noms.

Un trésor est caché dans la grotte. — Audrey colle une feuille sur son cahier. — Il y a beaucoup de voitures sur le parking. — Chez la fleuriste, on admire les bouquets. — Juliette regarde un dessin animé à la télévision. — En hiver, on s'habille chaudement.

Voir leçon 2

81 Recopie et place l'article un, une ou des devant chaque nom.

… remarques	… barque	… abeilles	… lampes
… durée	… caverne	… limites	… anneaux
… moutons	… coin	… nuages	… directeur
… roi	… orage	… emploi	… sport

Voir leçon 3

82 Recopie ces phrases et complète avec des articles de ton choix.

Tu prends … couteau pour couper … tranche de jambon.
Nadia n'est pas contente, car … chat a déchiré … rideaux.
Il ne faut pas toucher … fils électriques posés sur … sol.
Madame Blanc range … linge dans … armoire.

Voir leçon 3

83 Recopie ces phrases et complète avec les adjectifs qualificatifs qui conviennent.

costumé – débutant – appétissant – chocolaté – célèbre – amusante

La cantinière a préparé un plat … . — Je bois un verre de lait … . — Notre école porte le nom d'un homme … . — La maîtresse nous a raconté une histoire … . — Le judoka … écoute les conseils. — Pour le carnaval, nous irons tous au bal … . Voir leçon 4

84 Recopie ces phrases et entoure les groupes nominaux.

Un solide cadenas ferme le portail du hangar. — Les élèves vérifient les résultats des opérations. — Un froid vif pique le visage des skieurs. — Les personnes aveugles ont une canne blanche. — Les coureurs belges ont réalisé un exploit ; ils ont battu le record. Voir leçon 5

85 Recopie ces phrases et remplace les pronoms personnels sujets par les groupes nominaux qui conviennent.

Les bateaux – Émilie – Les autruches – Le jardinier – Les gendarmes – La vendeuse – Les danseuses

Il tond la pelouse du parc. — Elles pondent des œufs énormes. — Elle conseille les clients. — Elles font la roue. — Ils contrôlent la vitesse des voitures. — Elle choisit une robe. — Ils arrivent au port. Voir leçon 6

86 Recopie ces phrases et écris l'infinitif des verbes en gras.

Papa **passe** l'aspirateur. — Hugo **est tombé** sur le gravier. — Pourquoi cet enfant **fait**-il un caprice ? — J'**ai souligné** le titre de la leçon. — Nous **choisissons** un dessert. — Tu **viendras** au tableau pour écrire les réponses. — Vous **taillez** vos crayons de couleur. Voir leçon 7

87 Recopie ces phrases et complète avec les sujets qui conviennent.

Le chanteur – L'éléphant – On – Les soldats – Le barrage

… retient l'eau de la rivière. — … entend le bruit de la mer dans ce coquillage. — … portent des uniformes. — … regarde la caméra. — … utilise sa trompe pour boire. Voir leçon 8

88 **Recopie ces phrases, souligne les verbes et entoure les sujets.**

Ce bébé marche depuis l'âge de onze mois. — Le dessin animé débutera à dix heures. — Tu enregistres ton texte sur l'ordinateur. — Nous enfilons des perles rouges et bleues. — Le conducteur freine brusquement. — Lucas gare sa voiture sur le parking. Voir leçon 8

89 **Recopie ces phrases et entoure les adverbes.**

Des ordinateurs seront prochainement installés dans les classes de l'école. — Noé a tellement faim qu'il dévorerait une baguette de pain ! — Le chien suit fidèlement son maître. — Dans cette boutique, on trouve encore des téléphones avec des fils. — Le film vient juste de commencer. Voir leçon 9

90 **Réponds à ces questions comme dans l'exemple.**

Quand les feuilles des arbres tombent-elles ?
→ Les feuilles des arbres tombent en automne.

Où ranges-tu tes crayons et tes stylos ? — Pourquoi reprends-tu des frites ? — Sur quoi Antoine étale-t-il sa confiture ? — Comment le peintre choisit-il ses couleurs ? — Quand le train pour Marseille partira-t-il ? Voir leçon 10

91 **Transforme ces phrases à la forme négative en phrases à la forme affirmative.**

Tu ne plies pas les feuilles de papier en quatre. — Les clowns ne font pas rire le public. — Le menuisier n'enfonce pas les clous avec un marteau. — Les élèves ne se mettent pas en rang. — Je ne me balance pas sur ma chaise. Voir leçon 11

92 **Transforme les phrases comme dans l'exemple.**

Le client choisit des fromages. → Le client choisit-il des fromages ?

Vous avez couché sous une tente. — Tu connais cette chanson. — Le vent pousse le voilier. — Les tartes sont sucrées. — Les piles sont neuves. — Thomas prépare le déjeuner. — Le maître décore la classe avec des photographies. Voir leçon 11

Orthographe

12e Leçon — Le masculin et le féminin des noms

Le patineur et la patineuse glissent en silence sur la glace.

Règle

Les noms devant lesquels on peut mettre **la** ou **une** sont **féminin** ; les noms devant lesquels on peut mettre **le** ou **un** sont **masculins** : c'est le **genre** des noms.

Le **féminin des noms** d'êtres vivants se forme souvent en ajoutant un **e** au nom masculin.

un cousin → une cousine — un blond → une blonde

Si le **nom masculin** se termine déjà par un **e**, on place seulement **un article féminin** devant le nom.

un élève → une élève — un camarade → une camarade

La **terminaison** du nom masculin est **quelquefois modifiée** pour former le nom féminin.

un moniteur → une monitrice — un ouvrier → une ouvrière
le chat → la chatte — un nageur → une nageuse

93 **Recopie ces phrases et complète avec le ou la.** ★

Pour trouver … magasin de jouets ouvert, va dans … rue de la Gare. — … ciel se couvre de nuages ; … pluie n'est pas loin. — … rencontre avec nos correspondants aura lieu … semaine prochaine. — … vent souffle fort ; il faut fermer … fenêtre.

94 **Recopie ces phrases et complète avec les noms féminins qui conviennent.** ★★

candidate – gagnante – ourse – marchande – voisine

Sonia rencontre sa … au pied de l'immeuble. — La … de légume propose de superbes tomates. — La … répond à toutes les questions. — On peut apercevoir une … et ses oursons au zoo de Romagnie. — Après le tirage au sort, le premier prix a été remis à la … .

95 **Recopie ces phrases et complète avec les noms féminins qui conviennent.** ★★

chienne – pharmacienne – musicienne – comédienne

La … donne des médicaments pour soigner l'angine de ma sœur. — Les spectateurs applaudissent la … qui s'installe devant le piano. — La … apprend son rôle pour la prochaine pièce de théâtre. — La … de monsieur Vanet suit la trace du sanglier.

96 **Associe, à chaque nom masculin, un nom féminin.** ★★

un commerçant – une commerçante

Noms masculins : un collégien — un employé — un brun — un ami — un habitant — un inconnu — un paysan
Noms féminins : une brune — une habitante — une inconnue — une paysanne — une employée — une collégienne — une amie

97 **Recopie ces phrases et complète avec les noms féminins qui conviennent.** ★★

cavalière – infirmière – caissière – sorcière – cuisinière – couturière

Une … est venue dans la classe pour nous peser. — La … prépare une salade aux noix. — La méchante … s'envole sur son balai magique. — La … raccourcit la robe de Marjorie. — Je tends un billet de dix euros à la … . — Une bonne … ne frappe jamais son cheval.

98 **Associe, à chaque nom masculin, un nom féminin.** ★★

Noms masculins : un messager — un voyageur — un acteur — un copain — un lecteur — un garçon — un danseur
Noms féminins : une fille — une lectrice — une voyageuse — une copine — une danseuse — une actrice — une messagère

99 **Écris le masculin de chaque nom comme dans l'exemple.** ★★★

une inspectrice → un inspecteur

une voleuse	une éducatrice	une étrangère	une joueuse
une espionne	une championne	une surveillante	une écolière
une gamine	une louve	une ouvrière	une menteuse

Orthographe

 Révisions : exercices 148 à 150 page 50

13e Leçon — Le singulier et le pluriel des noms

Les dessins sont affichés sur les panneaux des murs de la classe.

RÈGLE

Un nom est au **singulier** quand il désigne une seule chose ou un seul être vivant ; il est au **pluriel** quand il en désigne plusieurs. Le singulier et le pluriel, c'est le **nombre**.

Pour former le pluriel des noms, on ajoute souvent un **s**.

les jours – des pommes – les balcons – des images

Les noms qui se terminent au singulier par **-eau**, **-au** et **-eu** prennent un **x** au pluriel.

les drapeaux – des tuyaux – des cheveux

Certains noms ont déjà un **s** ou un **x** au singulier.

le repas → les repas — une souris → des souris
un prix → des prix — la croix → les croix

100 Recopie ces phrases et entoure seulement les noms au pluriel. ★

Les enfants lancent des boules de neige. — Le docteur soigne les malades. — Lorsqu'ils entendent du bruit, les oiseaux s'envolent. — Réjane adore les tours de magie. — Les hérons vivent au bord des étangs. — Le singe fait des grimaces pour amuser les enfants. — Julien essuie les meubles avec un chiffon. — Les clients achètent des bouteilles de lait. — Lionel colle des timbres sur l'enveloppe.

101 Recopie et place l'article un ou des devant chaque nom. ★★

… coude	… loup	… toits	… lieu
… miracles	… homme	… jardins	… garçons
… livre	… mots	… fromage	… risques
… sabots	… moulins	… moteur	… spectacle

102 **Recopie et place l'article une ou des devant chaque nom.** ★★

… lettres	… olives	… rivière	… personne
… journées	… ronde	… semaine	… fautes
… tartines	… cloche	… épines	… écharpe
… orange	… chemises	… larmes	… roses
… sonnette	… fleurs	… corbeilles	… couverture

103 **Recopie et place l'article le ou les devant chaque nom.** ★★

… feux	… cadre	… morceaux	… chameau
… trou	… chef	… papier	… voisins
… chants	… meubles	… soir	… monstre
… pain	… fer	… trains	… robinets
… sport	… coton	… titres	… ciel

104 **Recopie et place l'article la ou les devant chaque nom.** ★★

… sortie	… perche	… piles	… robes
… fenêtres	… joues	… partie	… barque
… émissions	… chanson	… surprise	… roues
… valise	… poupées	… tasses	… cave
… fatigue	… cuisine	… chaussettes	… miettes

105 **Écris ces noms et leur article au pluriel.** ★★★

une oreille	un stylo	une usine	une corde
un bouton	un seau	un rayon	un adieu
un jeu	un radis	un choix	un noyau
une salade	un rideau	le sapin	une maison

106 **Recopie ces phrases ; écris les noms et les déterminants en gras au pluriel.** ★★★

Tu donnes à manger **au lapin**. — On a installé **un jeu** dans la cour de récréation. — Le conducteur allume **son phare**. — Delphine essuie **l'assiette** et **le verre**. — Pour mon anniversaire, j'ai reçu **un cadeau**. — La marmotte s'endort pendant **le mois** d'hiver. — Au musée, nous admirons **le tableau**. — Quentin a perdu **la clé**.

Orthographe

 Révisions : exercices 151 à 153 pp. 50 et 51

14e Leçon — Le masculin et le féminin des adjectifs qualificatifs

Magali adore sa petite chatte câline et obéissante.

RÈGLE

L'adjectif qualificatif **s'accorde avec le nom** qu'il accompagne.

On forme souvent le **féminin de l'adjectif qualificatif** en ajoutant un **e** à l'adjectif masculin.

un petit morceau → une petite part
un vêtement taché → une serviette tachée

Certains adjectifs qualificatifs masculins se terminent par un **e** ; leur **forme ne change pas** au féminin.

un torchon propre → une serviette propre

La **terminaison** de l'adjectif masculin est parfois **modifiée** au féminin.

un temps pluvieux → une journée pluvieuse
un garçon sportif → une fille sportive
un fruit amer → une orange amère
un drap blanc → une chemise blanche

107 Recopie ces phrases et complète avec les adjectifs féminins qui conviennent. ★

violente – profonde – joyeuse – débutante – exacte – puissante

Cette montre donne toujours l'heure … . — Le pilote dirige sa … moto parmi les obstacles. — L'alpiniste a fait une chute dans une … crevasse. — Une … averse inonde les rues du quartier. – La danseuse … fait déjà des pointes. — Une … fête réunit tous les élèves de l'école maternelle.

108 Recopie ces phrases et entoure les adjectifs féminins. ★★

À la rentrée de janvier, nous avons accueilli une nouvelle élève dans notre classe. — La corde n'est pas assez longue pour atteindre le fond du puits. — Un vase est posé sur la table basse de la salle de séjour. — Laurent pense que la fin de l'histoire qu'il lit sera heureuse.

109 **Accorde les adjectifs qualificatifs au féminin. Aide-toi de l'exemple.** ★★

couper du bois mort → couper une branche morte

avoir un splendide costume → avoir une … tenue
apprécier un dessert sucré → apprécier une tarte …
agiter un drapeau tricolore → agiter une écharpe …
manger un aliment vitaminé → manger une barre …
apercevoir un serpent vivant → apercevoir une vipère …
préparer un repas froid → préparer une soupe …
faire cuire du poisson pané → faire cuire une escalope …

110 **Recopie ces phrases et accorde les adjectifs qualificatifs entre parenthèses.** ★★★

Pour fixer ces images, tu utilises une colle (spécial). — Alice, c'est la (meilleur) amie de Clémence. — Autrefois, le cinéma était (muet). — Pour tracer un trait, prends un crayon avec une mine (pointu). — On verse de la sauce (piquant) sur le riz. — Le menuisier a une scie (portatif). — Une cloison (isolant) sépare les deux pièces.

111 **Accorde les adjectifs qualificatifs au féminin.** ★★★

porter un ruban violet → porter une capuche …
être victime d'un effet visuel → être victime d'une illusion …
transporter un colis volumineux → transporter une malle …
regarder un film ennuyeux → regarder une émission …
réparer un vieil appareil → réparer une … machine

112 **Recopie ces phrases et accorde les adjectifs qualificatifs entre parenthèses.** ★★★

Dans la classe (voisin) de la nôtre, il n'y a que vingt élèves. — L'oncle de Mattéo a un aigle (tatoué) sur la poitrine. — Nous ne resterons pas longtemps dans cette pièce (surchauffé). — Pendant les vacances, Lisa va au centre (aéré). — Comme il fait froid, je mets une (épais) couverture sur le lit. — Au premier rang, c'est une (bon) place pour voir le spectacle. — Naïma a une (beau) coiffure.

Orthographe

Révisions : exercice 154 page 51

15e Leçon — Le singulier et le pluriel des adjectifs qualificatifs

De grosses mouches volent autour des fruits mûrs.

RÈGLE

Les adjectifs qualificatifs prennent généralement un **s** au **pluriel**.

un élève absent → des élèves absents
une crème glacée → des crèmes glacées

Seuls quelques adjectifs qualificatifs prennent un **x** au **pluriel**.

un beau voilier → de beaux voiliers
un nouveau programme → de nouveaux programmes

Les adjectifs qualificatifs **terminés par s** ou **x** au singulier **ne prennent pas la marque du pluriel**.

un résultat précis → des résultats précis
un objet curieux → des objets curieux

113 **Recopie ces phrases et complète avec les adjectifs qualificatifs qui conviennent.** ★

mental – magnifiques – blanc – dangereux – rondes – énormes

Voici un exercice de calcul ... . — D'... rochers sont tombés sur la route. — N'utilise pas cet outil ... . — Où avez-vous cueilli ces fleurs ... ? — Prends-tu un fromage ... ? — Je place deux piles ... à l'intérieur de mon jouet.

114 **Recopie et complète ces groupes nominaux avec l'adjectif entre parenthèses. Attention aux accords !** ★★

(étrange) → un ... récit — une histoire ... — des bruits ...
(désert) → une salle ... — des gradins ... — des tribunes ...
(long) → une ... promenade — de ... parcours — de ... étapes
(petit) → un ... moment — une ... pause — de ... livres
(sec) → une figue ... — des saucisses ... — des saucissons ...

115 **Recopie ces phrases et accorde les adjectifs qualificatifs entre parenthèses.** ★★

Les déménageurs portent des meubles très (lourd). — J'adore les biscuits (salé). — Anthony porte des chaussures (verni). — Les noms (commun) prennent-ils une majuscule ? — Tu places des feuilles (perforé) dans ton classeur. — Les pêcheurs sont installés sur des sièges (pliant).

116 **Écris les noms en gras au pluriel et accorde les autres mots.** ★★

un **bidon** vide
une **pancarte** routière
un **passage** souterrain
une **raquette** neuve
le **terrible** dragon
un **animal** préhistorique

117 **Écris les noms en gras au singulier et accorde les adjectifs qualificatifs comme dans l'exemple.** ★★

des **joueurs** chanceux → un joueur **chanceux**

des **duvets** moelleux
des **chiens** peureux
des **sauts** périlleux
des **places** assises
des **angles** aigus
des **passages** étroits
des **lapins** surpris
des **palais** mystérieux

118 **Recopie ces phrases et accorde les adjectifs qualificatifs entre parenthèses.** ★★★

Les eaux (minéral) sont vendues en bouteilles. — Les tiges des roses sont (piquant). — Louise possède des timbres (rare). — Tu as de (bon) raisons pour ne pas te baigner. — Les personnes (naïf) croient aux fantômes. — Le moniteur conseille les skieurs (débutant).

119 **Recopie ces phrases et souligne seulement les adjectifs qualificatifs au pluriel.** ★★★

De gros nuages gris annoncent sûrement un violent orage. — Il y a des poissons rouges dans l'aquarium. — Amandine a les yeux clairs et les cheveux blonds. — Les cobayes affamés dévorent les carottes craquantes. — Une lourde chaîne barrait l'entrée principale des châteaux forts. — Dans cette cage, on admire des perroquets bavards aux plumages multicolores.

 Révisions : exercices 155 et 156 page 51

16e Leçon — Les accords dans le groupe nominal

Sébastien a une nouvelle paire de chaussures.

Règle

Le déterminant et les adjectifs qualificatifs s'accordent en **genre** et en **nombre** avec le nom qu'ils accompagnent.

une averse violente → de violentes averses
un verre plein → des verres pleins

Certains mots appartenant au groupe nominal ne s'accordent pas avec le nom.

une violente averse de grêle → de violentes averses de grêle
un verre plein de limonade → des verres pleins de limonade

120 **Recopie ces phrases et complète avec les noms qui conviennent.** ★

panne – hôtesses – lunettes – collection – passages – ballon – livres

Les vieux … ne sont pas toujours en bon état. — Le … de rugby n'est pas rond mais ovale. — Les … de l'air accueillent les passagers. — Tout s'éteint, car il y a une soudaine … d'électricité. — Monsieur Razat a une magnifique … de voitures miniatures. — Les … à niveau permettent aux véhicules et aux trains de se croiser. — Malek porte des … de soleil adaptées à sa vue.

121 **Recopie ces phrases et complète avec les adjectifs qualificatifs qui conviennent.** ★

nationale – grises – glacée – légère – haute – ensoleillées – petite

En juillet, les journées … ne sont pas rares. — Ne vous baignez pas dans cette eau … . — Le chat poursuit les souris … . — Une route … traverse la … ville. — Je lis le texte à … voix. — Une … couche de neige recouvre les trottoirs du quartier.

122 **Recopie ces phrases et complète avec les mots qui conviennent.** ★

de ski – de pétanque – de monnaie – en peluche – de l'autoroute

Les camions stationnent sur une aire … . — Les bébés dorment parfois avec leur ours … . — Les pistes … du bas de la station sont réservées aux débutants. — Les vacanciers disputent des parties … . — Combien as-tu de pièces … ?

123 **Recopie ces groupes nominaux et souligne le nom avec lequel le déterminant et l'adjectif s'accordent.** ★★

un chaud rayon de soleil
une immense plage de sable
d'épaisses tranches de viande
de rapides trains de voyageurs
un beau plateau de fruits
une belle chevelure brune
de petits crayons de couleur
une nouvelle console de jeux
un grand chapeau de paille
de lointaines étoiles brillantes

124 **Recopie ces phrases et accorde les mots entre parenthèses.** ★★

Lilian choisit des melons (parfumé). — Cette compagnie (aérien) possède des avions (moderne) et (rapide). — Les (jeune) mariées portent des robes (blanc). — Des bruits (bizarre) proviennent du grenier. — Anaïs trace des lignes (brisé) avec sa règle (plat).

125 **Recopie ces phrases et remplace les noms en gras par ceux entre parenthèses. Attention aux accords !** ★★★

Martin porte un vieux **pantalon** (chemise) de toile. — Les campeurs mettent des **bassines** (seaux) pleines d'eau sur le feu de broussailles. — Le cow-boy rencontre un important **groupe** (équipe) de chercheurs d'or. — Stanislas achète des **croissants** (brioches) dorés.

126 **Recopie ces phrases et écris les noms en gras au pluriel. Attention aux accords !** ★★★

Les cyclistes roulent sur une **voie** réservée. — Le vent souffle sur le **champ** de blé. — Un bon conducteur ne donne jamais un brusque **coup** de volant. — Le boulanger prépare un **pain** de campagne. — En voiture, il faut boucler la **ceinture** de sécurité. — La salade verte est accompagnée d'une **tranche** de jambon.

Orthographe

 Révisions : exercices 157 à 159 page 52

17e Leçon — L'accord du verbe avec le sujet

Les touristes visitent le château de Chambord.

Règle

Le verbe s'accorde toujours avec son sujet.

Lucas regarde la télévision. Lucas : 3e personne du singulier
Les cris encouragent les joueurs. Les cris : 3e personne du pluriel

Pour trouver le sujet, on peut poser la question « Qui est-ce qui… ? » ou « Qu'est-ce qui… ? » devant le verbe.

Qui est-ce qui regarde la télévision ? → Lucas
Qu'est-ce qui encourage les joueurs ? → Les cris

Si le sujet est un groupe nominal, il faut chercher le **nom principal**.

Les **musiciens** de l'orchestre accordent leurs instruments.

127 **Recopie ces phrases et entoure les pronoms personnels sujets.** ★

Nous prenons l'ascenseur. — Tu parlais avec tes camarades. — Je relis les consignes de l'exercice. — Il colle un timbre sur l'enveloppe avant de la poster. — Vous apprenez vos leçons par cœur. — Ils connaissent les règles du jeu. — Tu téléphones à tes parents pour les prévenir de ton retard. — Je rebondis sur le trampoline. — Nous rangeons nos affaires dans nos casiers. — Vous utilisez votre calculatrice.

128 **Recopie ces phrases et entoure les noms sujets.** ★

Les abeilles bourdonnent à nos oreilles. — Le lierre grimpe le long de la muraille. — Les affiches enlaidiront le paysage. — Le tonnerre gronde au lointain. — Les pigeons s'envolent brusquement. — Les vagues déferlent sur la jetée. — L'émission s'arrêtera à vingt heures. — Les mécaniciens réparent les véhicules accidentés. — Barbara hésite à donner une réponse. — L'arbitre siffle un coup franc.

129 **Recopie ces phrases et entoure le nom principal des groupes sujets.** ★★

Le joueur de dames avance un pion blanc. — Les tremblements de terre provoquent des dégâts importants. — L'arrivée des invités annonce le début du spectacle. — Les couleuvres à collier se cachent dans les hautes herbes. — Les boutiques du centre commercial sont ouvertes.

130 **Recopie ces phrases et remplace les pronoms personnels sujets en gras par ces groupes nominaux.** ★★

Les skieurs – Les routiers – Les chanteuses – Le chien – des inconnus – La rivière – L'électricien

Il installe une parabole sur le toit pour capter plusieurs chaînes de télévision. — Après les pluies, **elle** déborde. — **Il** aboie quand **ils** s'approchent de la maison. — **Ils** dévalent les pistes enneigées. — **Elles** reprennent le refrain. — **Ils** respectent le Code de la route.

131 **Recopie ces phrases et complète avec ces verbes.** ★★

écrit – produisent – utilise – plongent – arrose – débarquent

Le coiffeur … un peigne et des ciseaux. — Les mouettes … dans l'eau pour attraper des poissons. — Les passagers … à l'heure prévue. — Karim … à son correspondant de Bretagne. — Le jardinier … les salades et les poireaux. — Les éoliennes … de l'électricité.

132 **Recopie ces phrases et accorde les verbes entre parenthèses au présent.** ★★★

Tu (porter) une montre à ton poignet. — Vous (trembler) de peur. — Je (dire) toujours la vérité à mes parents. — Les péniches (transporter) les marchandises. — Les piqûres de moustiques (irriter) la peau.

133 **Recopie ces phrases et accorde les verbes entre parenthèses au futur simple.** ★★★

Déborah n'(oublier) pas la date d'anniversaire de son amie. — Les infirmières (soigner) les malades. — Nous (rester) à l'étude. — Tu (gonfler) les pneus de ton vélo. — Les supporters de l'équipe de France (crier) leur joie. — J'(emporter) une trousse de toilette.

 Révisions : exercices 160 à 162 pp. 52 et 53

18e Leçon

est, et

Marco est impatient de grandir et d'aller au collège.

RÈGLE

Il ne faut pas confondre **est** et **et**.

est est une forme du verbe **être** au présent. On peut la remplacer par une autre forme du verbe **être**.

La danseuse est gracieuse. → La danseuse était gracieuse.

et est un mot invariable. On peut le remplacer par **et puis**.

Elle est gracieuse et souriante. → Elle est gracieuse et puis souriante.

134 **Recopie ces phrases et écris était entre parenthèses lorsqu'il peut remplacer le mot en gras.** ★

Ma cousine Laura **est** (était) une bonne élève.

Le parrain d'Igor **est** employé à la mairie. — Le tube de colle **es**[t] vide. — Mon anorak **est** au portemanteau. — Le chat **est** caché sou[s] l'armoire **et** il ne veut pas se montrer. — L'émission **est** intéressant[e] **et** je ne veux pas la manquer. — Kévin **est** en tenue de sport. — L[e] prix de ce jouet **est** trop élevé **et** je ne l'achèterai pas.

135 **Recopie ces phrases et écris et puis entre parenthèses lorsqu'il peut remplacer le mot en gras.** ★

Les narcisses **et** (et puis) les jonquilles sont des fleurs de printemps.

Le train **est** arrivé en retard **et** nous l'avons attendu. — L'échelle **es**[t] contre le mur **et** le charpentier monte sur le toit. — Comme le ven[t] **est** violent, nous fermons les portes **et** les fenêtres. — La saison **es**[t] sèche **et** le niveau de l'eau du barrage **est** au plus bas. — L'histoire **es**[t] passionnante **et** toute la classe écoute la conteuse.

136 **Recopie ces phrases et complète avec est ou et. Pour est, tu écriras était entre parenthèses.** ★★

La tarte … délicieuse … j'en reprendrais bien un morceau. — Mohamed … de bonne humeur … il sourit. — Le cygne … sur l'étang … il fait admirer son beau plumage blanc. — La voiture … arrêtée au stop … elle attend que la voie soit dégagée. — Le rayon des surgelés … au centre du magasin … on l'aperçoit facilement.

137 **Recopie ces phrases et complète avec est ou et. Pour et, tu écriras et puis entre parenthèses.** ★★

La carte est retournée … c'… un roi de trèfle. — La neige … tombée toute la nuit … le paysage … tout blanc. — La partie … terminée … le score … nul. — Margot … venue me voir … nous nous sommes bien amusées. — Fadila … en Italie … elle visite la ville de Venise. — Le coureur … épuisé … il demande à boire aux spectateurs.

138 **Recopie ces phrases et complète avec est ou et.** ★★

Noël … un jour de fête pour les enfants … leurs parents. — Après l'orage, la route … boueuse … glissante. — Éva … fière de ses longs cheveux … elle ne les coupera jamais. — Madame Sognet … la tante de Coralie … elle lui téléphone souvent. — Le parachutiste … dans l'avion … il va bientôt sauter dans le vide.

139 **Transforme ces groupes nominaux comme dans l'exemple.** ★★★

une petite ville touristique → La ville est petite et touristique.

une joyeuse fête animée
un sage conseil amical
un doux pelage roux
une large avenue déserte
un triste jour pluvieux
un gros gâteau crémeux
un amusant livre illustré
une chaude matinée ensoleillée

140 **Recopie ces phrases et écris les noms en gras au singulier. Attention aux accords !** ★★★

Ces **prénoms** sont vraiment à la mode. — Tes **frères** sont encore à l'école maternelle. — Les **spectateurs** sont assis au premier rang. — Les **saucisses** sont sur le barbecue. — Ces **jeux** sont amusants et on ne s'en lasse pas. — Les **nourrices** sont patientes avec les petits enfants. — Les **camions** sont au garage.

Révisions : exercices 163 et 164 page 53

19e Leçon a, à

Ce petit chien a mal à la patte.

RÈGLE

Il ne faut pas confondre **a** et **à**.

a, sans accent, est une forme du verbe **avoir** au présent. On peut la remplacer par une autre forme du verbe **avoir**.

Nadia a des bottes fourrées. → Nadia avait des bottes fourrées.

à, avec un accent grave, est un mot invariable.

aller à l'école – un avion à réaction – courir à toute allure

141 **Recopie ces phrases et écris avait entre parenthèses lorsqu'il peut remplacer le mot en gras.** ★

Marlène **a** (avait) un exercice à recopier.

Julien **a** réalisé un petit cheval avec de la pâte **à** modeler. — La récréation **a** duré jusqu'**à** dix heures et demie. — La fanfare **a** défilé **à** l'occasion du 14 Juillet. — Marion **a** retrouvé son amie Louna **à** l'école de musique. — Dans cette pièce, il y **a** une vieille lampe **à** pétrole. — Jules **a** froid car il **a** oublié ses gants **à** la maison. — Mélanie **a** frappé **à** la porte et elle attend qu'on l'autorise **à** entrer. — Au sommet des montagnes, on **a** souvent la tête qui tourne.

142 **Complète chaque nom avec un des groupes suivants.** ★

à carreaux rouges – à la crème – à dents – à roulettes – à bascule – à voiles – à laver – à tricoter – à découper – à dessert – à bille – à café

une aiguille …	un stylo …	un fauteuil …
des patins …	une nappe …	une machine …
une tasse …	un chou …	une image …
une brosse …	une assiette …	un bateau …

143 **Recopie ces phrases et complète avec a ou à. Pour a, tu écriras avait entre parenthèses.** ★★

Amélie … oublié qu'elle … rendez-vous … dix heures avec son amie Sandra. — Bilal … payé ses achats … la caisse du supermarché. — Vanessa … une préférence pour les glaces … la vanille. — Damien ne sait pas … quoi sert la touche située … droite du zéro de sa calculatrice.

144 **Recopie ces phrases et écris les verbes en gras au présent.** ★★

Le musicien **avait** un instrument à cordes. — Louise **avait** du mal à trouver une boulangerie ouverte. — Comme son cheval **avait** soif, le cavalier lui donne à boire. — Ce coureur **avait** de l'avance. — Le Petit Poucet **avait** eu l'idée de semer des petits cailloux. — Simon **avait** les cheveux trop longs.

145 **Recopie ces phrases et complète avec a ou à.** ★★★

Si on écrit avec un crayon … papier, on … la possibilité de gommer. — Le routier … fait une pause … mi-parcours. — L'agriculteur … mis sa récolte de blé … l'abri, sous un hangar. — Sarah … cherché son téléphone portable dans son sac … main. — Comme il fait beau, Quentin … décidé d'aller … la plage.

146 **Recopie ces phrases et complète avec a ou à.** ★★★

Lina … perdu son ours en peluche ; elle pleure … chaudes larmes. — Le mécanicien … un moteur … réparer ; il … sorti sa caisse … outils. — Sacha … grimpé les marches de l'escalier quatre … quatre ; il n'… pas mis longtemps. — Antoine … passé l'aspirateur dans la salle … manger ; sa maman l'… récompensé.

147 **Recopie ces phrases et écris les noms en gras au singulier. Attention aux accords !** ★★★

Les **papillons** ont de jolies couleurs. — Les **colliers** ont de la valeur ; **ils** ont des perles noires. — Mes **voisins** ont un chalet à la montagne. — Les **chats** ont des yeux perçants. — Les **voyageurs** n'ont plus un instant à perdre : le train entre en gare. — Ces **chansons** ont des paroles faciles à retenir. — Les **joueurs** ont des chaussures à crampons.

Orthographe

Révisions : exercices 165 et 166 page 53

148 **Recopie et place l'article un ou une devant chaque nom.**

... statue	... lit	... chèvre	... pantalon
... stade	... pied	... coin	... cheminée
... bureau	... ligne	... mur	... bouche
... baleine	... porte	... rue	

Voir leçon 12

149 **Écris le féminin de chaque nom.**

un gaucher → une gauchère

un gardien	un tricheur	un passager	un ouvrier
un marchand	un maître	un berger	un moniteur
un boulanger	un père	un frère	

Voir leçon 12

150 **Recopie ces phrases et complète avec les noms féminins qui conviennent.**

conductrice – chanteuse – vendeuse – aviatrice – directrice – princesse

La ... de l'autobus est très prudente. — La ... tient son micro. — Vanessa adore les avions, elle veut devenir ... . — La ... de l'école rencontre les parents. — La ... porte une couronne. — Avant d'acheter, je demande un renseignement à une ... .

Voir leçon 12

151 **Écris ces noms au pluriel.**

un ruisseau	le vent	un arbre	la montre
la leçon	le tigre	l'herbe	un problème
un canard	une série	une mouche	le chiffre
la caisse	un camion	une tente	la visite
un paquet	la jambe	un manteau	

Voir leçon 13

152 **Écris ces noms au singulier.**

des chapeaux	les mains	des anneaux	des coups
les montagnes	les dents	des huiles	des cercles
des carreaux	les lumières	des couplets	les noisettes
les billets	des abricots	les neveux	

Voir leçon 13

153 Recopie ces phrases et écris les noms en gras au pluriel.

Les voitures ne stationnent pas sur **le trottoir**. — Les princes et les princesses habitent dans **un palais**. — Après **la séance** de peinture, l'élève nettoie **le pinceau**. — La locomotive tire **le wagon**. — Le marin replie **la voile**. — Pourquoi hausses-tu **l'épaule** ? — Fais attention : tu vas te blesser avec **le couteau**. Voir leçon 13

154 Recopie ces phrases et accorde les adjectifs qualificatifs entre parenthèses.

Le roi vivait dans une demeure (luxueux). — L'explorateur part dans une région (lointain). — Ne touche pas la casserole (brûlant). — Dans ce village africain, il n'y a pas d'eau (courant). — On ne sert pas la soupe dans une assiette (plat). — Il faut arroser la fleur (fané). — Les enfants aiment cette histoire (ancien). Voir leçon 14

155 Recopie ces phrases et accorde les adjectifs qualificatifs entre parenthèses.

Il faut couper les branches (mort). — Ce garage expose des voitures (neuf). — Les gymnastes retombent sur des tapis (mou). — Les personnes (pressé) téléphonent. — Les calculs sont (simple) ; inutile de prendre une calculatrice. — Des mesures (spécial) sont prises pour éviter la pollution des rivières. — De (solide) câbles retiennent la montgolfière. — La barrière de la cour est en fer (forgé). — On voit des étoiles (brillant) dans le ciel. Voir leçon 15

156 Recopie ces phrases et accorde les adjectifs qualificatifs entre parenthèses.

La côte (rocheux) ne permet pas aux (petit) voiliers de s'approcher du bord. — Il est plus facile de tracer des figures (géométrique) sur des feuilles (quadrillé) que sur des feuilles (blanc). — La princesse a passé une écharpe (soyeux) autour de son cou. — Le musée du Louvre expose des tableaux (célèbre). — Tu préfères les yaourts (sucré) au fromage. — Ces (jeune) actrices de cinéma portent des robes (clair). Voir leçon 15

157 **Recopie ces phrases et accorde les mots entre parenthèses.**

Aimes-tu les œufs (dur) ? — Un vent (violent) agite les (long) branches des (grand) arbres du parc. — Les personnes (bavard) ennuient souvent leurs (meilleur) amies. — Valentin boit de l'eau (frais). Voir leçon 16

158 **Recopie ces groupes nominaux et écris les noms en gras au pluriel. Attention aux accords !**

un beau **blouson** → de beaux blousons

une **réponse** fausse
un **écrivain** célèbre
un **vase** en cristal fragile
un délicieux **dessert** à la crème
une **récompense** méritée
un **jeu** de société amusant
une chaude **journée** de juillet
une **jupe** courte Voir leçon 16

159 **Recopie ces phrases et accorde les mots entre parenthèses.**

À l'école (maternel), de (gentil) maîtresses s'occupent des (jeune) enfants. — La comtesse porte un collier de pierres (précieux). — Pour avoir de (beau) pelouses, il faut arracher les (mauvais) herbes. — Les trottoirs (glissant) brillent comme des miroirs. — Les lumières (vif) attirent les insectes (nocturne). Voir leçon 16

160 **Recopie ces phrases et entoure le nom principal des sujets.**

Les caissières du supermarché rendent la monnaie. — Tous les robinets de l'appartement sont fermés. — Le réservoir d'essence est presque vide. — La lumière des phares éclairera la route. — Les personnages des dessins animés vivent des aventures imaginaires. — Les enfants de monsieur Chanel sont tous bruns. — Les pommes de terre cuisent à feu doux. Voir leçon 17

161 **Recopie ces phrases et accorde les verbes entre parenthèses au présent.**

Tu (enregistrer) des numéros de téléphone. — De puissants tracteurs (labourer) les champs. — Je (confier) un secret à Stéphane. — Mes petits cousins (aller) au centre aéré pendant les vacances. — Les personnes peureuses (sursauter) au moindre bruit. Voir leçon 17

162 **Recopie ces phrases et complète avec des sujets de ton choix.**

... protègent de la pluie. — ... surveillent la récréation. — ... collectionnons les livres de contes. — ... circulent dans les couloirs qui leur sont réservés. — Chaque été, ... fleurit son balcon. — ... distribue sa photo à ses admirateurs. — ... consulte son répondeur. — ... buvez de l'eau minérale. Voir leçon 17

163 **Recopie ces phrases et complète avec est ou et.**

Clémence ... dans la file d'attente ... elle pense que son tour viendra bientôt. — La maîtresse ... sortie de la classe ... elle parle avec le directeur. — Douze ... un nombre pair ... treize un nombre impair. — Le voyage ... long ... fatigant. — L'ascenseur ... en panne ... nous devrons monter à pied. Voir leçon 18

164 **Recopie ces phrases et complète avec est ou et.**

Le téléphérique ... en service depuis un mois. — Ce gratin ... trop salé ... personne n'en reprendra. — L'éolienne ... au sommet de la colline ... on la voit de loin. — La clé ... sur la porte ... vous entrerez facilement. — Le navire de pêche ... au port ... on décharge les poissons. Voir leçon 18

165 **Recopie ces phrases et complète avec a ou à.**

Le maître ... donné son accord pour que nous nous rendions ... la salle de sport. — Jérémie ... le sourire, car la maîtresse lui ... fait des compliments. — Solène ... mal ... la tête et elle ... de la fièvre ; sa maman ... appelé le médecin. — Le dompteur ... un fouet ... la main et il se fait obéir des lions. Voir leçon 19

166 **Recopie ce texte et complète avec a ou à.**

Le soir, quand il ... fini ses devoirs, Alexis s'installe dans sa chambre ... coucher, car il ... besoin d'être seul pour écouter ses chanteurs préférés. Il ... un petit appareil dans lequel sont enregistrés des disques. L'écouteur ... l'oreille, il ... l'impression d'être ... côté de l'orchestre. Il ... une préférence pour les musiques où il y ... beaucoup d'instruments ... vent. C'est peut-être parce qu'il ... lui-même une flûte ... bec. Voir leçon 19

20e Leçon — Les voyelles Les consonnes

Règle

Pour écrire le français, on utilise **vingt-six lettres**.

Il y a **six voyelles** qui peuvent se prononcer seules :

a – e – i – o – u – y

Les vingt autres lettres, les **consonnes**, se prononcent généralement accompagnées d'une voyelle :

b – c – d – f – g – h – j – k – l – m – n – p – q – r – s – t – v – w – x – z

167 Recopie ces mots et entoure les voyelles. ★

minute flamme souvent demain
sauter parent bouger faire

168 Recopie ces mots et entoure les consonnes. ★

descendre éléphant ampoule valise
drapeau mériter pinceau traverser

169 Recopie ce tableau et classe les mots suivants. ★★

Mots de 4 lettres	Mots de 5 lettres	Mots de 6 lettres	Mots de 7 lettres	Mots de 8 lettres

rivière — glissade — crampon — droite — rêver — sonnerie — rocher — séparer — règle — poids — cinq — nerveuse — place

170 Écris ces lettres dans l'ordre pour former des mots. ★★★

p – l – t – a v – g – a – u – e r – t – o – u – e
m – s – a – i t – r – c – a – e m – t – a – i – n

Vocabulaire à retenir

la porte – le sucre – le soir – le soleil – la poste – rire – froid
lundi – mardi – mercredi – jeudi – vendredi – samedi – dimanche

Révisions : exercice 322 page 98

21e Leçon
Les syllabes
Les mots

RÈGLE

Chaque partie d'un mot qui se prononce en un seul son s'appelle **une syllabe**.

camarade → ca / ma / ra / de → 4 syllabes
renverser → ren / ver / ser → 3 syllabes

Pour couper un mot à la fin d'une ligne, il faut placer un **tiret** juste **après une syllabe** ou **entre deux lettres identiques**.

Mélanie cherche des champi-
gnons.

Comme la route est étroite, le chauffeur conduit lentement.

Orthographe

171 Recopie ces phrases et indique le nombre de mots qu'elles contiennent. ★

Nous tirons les rideaux car le soleil brille. → … mots
Tu cherches un nom dans ton dictionnaire. → … mots
Les nageurs débutants ne vont pas dans le grand bassin. → … mots

172 Recopie ces mots et indique le nombre de syllabes. ★★

ongler → 2 syllabes

gendarme	sécurité	confiture	carnaval
question	véhicule	rechercher	vétérinaire

173 Coupe ces mots comme si tu devais les écrire en fin de ligne. Il peut y avoir plusieurs solutions. ★★★

automobile → au-tomobile ; auto-mobile ; automo-bile ; automobi-le

copain	trottoir	acheter	maintenant
matinal	ballon	téléphone	savonner
armoire	difficile	choisir	caverne

Vocabulaire à retenir

janvier – février – mars – avril – mai – juin
juillet – août – septembre – octobre – novembre – décembre

Révisions : exercices 323 et 324 page 98

22e Leçon — L'ordre alphabétique

Règle

Dans un dictionnaire, les mots sont rangés par ordre alphabétique. Pour trouver un mot, il faut donc connaître l'ordre des lettres dans l'alphabet.

a – b – c – d – e – f – g – h – i – j – k – l – m – n – o – p – q – r – s – t – u – v – w – x – y – z
A – B – C – D – E – F – G – H – I – J – K – L – M – N – O – P – Q – R – S – T – U – V – W – X – Y – Z

Pour classer des mots dans l'ordre alphabétique, on regarde la première lettre. Si la première lettre est la même, on observe la deuxième, et ainsi de suite jusqu'à la rencontre de deux lettres différentes.

Le mot marin sera placé avant le mot matin, parce que le r est placé avant le t dans l'ordre alphabétique.

174 Complète avec la lettre placée avant et celle placée après dans l'ordre alphabétique. ★

… – m – … … – s – … … – f – … … – u – …
… – c – … … – k – … … – d – … … – i – …
… – r – … … – y – … … – n – … … – e – …

175 Complète avec les deux lettres placées avant et les deux lettres placées après dans l'ordre alphabétique. ★★

… – … – m – … – … … – … – o – … – … … – … – l – … – …
… – … – g – … – … … – … – t – … – … … – … – h – … – …
… – … – p – … – … … – … – j – … – … … – … – q – … – …

176 Écris ces groupes de lettres dans l'ordre alphabétique. ★★

d – x – c – y → c – d – x – y

g – r – h – s → … – … – … – … e – t – f – u → … – … – … – …
l – j – m – q → … – … – … – … a – v – b – w → … – … – … – …
o – s – m – t → … – … – … – … n – y – i – z → … – … – … – …

177 Recopie ce tableau et classe les mots suivants. ★★

Mots placés avant fourmi dans l'ordre alphabétique.	Mots placés après fourmi dans l'ordre alphabétique.

dimanche — flamme — terrain — forêt — fromage — sévère — cadeau — million — fumée — entier — tailler — farine

178 Écris chaque liste de mots dans l'ordre alphabétique. ★★

risquer – miracle – planche – diable – boire
tulipe – branche – volontiers – rue – longueur
bouquet – forêt – ruisseau – garage – cueillir
division – corne – ongle – troupe – équipe

179 Écris chaque liste de mots dans l'ordre alphabétique. ★★

précieux – pièce – plumage – poussière – pardon
métal – musique – mystère – mode – match – milieu
sortie – sortir – soif – solide – sourire – sonner
modeste – mobile – monsieur – monde – montrer

180 Recopie chaque ligne et entoure le mot qui n'est pas classé dans l'ordre alphabétique. ★★★

encourager – friser – jouet – lion – danser – passage – vivant
signature – guérir – hôpital – immense – métier – pauvre – ranger
plonger – question – leçon – remplir – salade – troisième – utile
obéir – pêcher – saluer – village – tente – unité – yeux

181 Choisis, dans la parenthèse, le mot qui vient entre les deux mots en gras pour respecter l'ordre alphabétique. ★★★

(coucher – couvercle – couteau – courber – couleur)
courage … **course**

(tordre – toutefois – tourbillon – tous – tortue)
toucher … **tourner**

Vocabulaire à retenir

lire – la lecture – un lecteur
écrire – l'écriture – un écrivain

chanter – un chant – un chanteur
calculer – le calcul – la calculatrice

Orthographe

Révisions : exercice 325 page 98

23e Leçon — Les sons [b] et [p]

(b) et (p), (br) et (pr), (bl) et (pl)

Règle

Oralement, on peut confondre les sons [b] et [p] qui sont parfois très proches.

un balai – un palais   une barre – une part

Attention ! les lettres **b** et **p** peuvent être suivies d'une consonne.

une brune – une prune   blanche – une planche

L'écriture permet de bien faire la différence.

182 Recopie ce tableau et classe les mots suivants. ★

On entend le son [b].	On entend le son [p].

un chapeau — une tribune — rapide — une tombe — un programme — un sabot — un sapin — repousser — une bougie — séparer — un abandon — transporter — une auberge — un microbe — un objet — une opération — la liberté

183 Recopie ces mots et complète avec b ou p. ★★

un …outon   un ca…itaine   une ca…ine   dis…oser
dé…oser   un …ureau   …ouger   com…attre
un re…as   un ru…an   la sou…e   un ta…is

184 Recopie ces expressions et complète les mots avec b ou p. ★★

lancer une …alle en …lastique
…asser sur un …ont de …ois
décou…er une …ande de …a…ier
res…ecter l'ar…itre de la …artie
grim…er sur une …ranche
admirer le …ec du …erroquet
ouvrir un …aquet de …iscuits
…ayer avec des …illets
…orter des …askets neuves
…ercer sa …ou…ée

185 **Recopie ces phrases et complète les mots avec bl ou pl.** ★★

La mer est d'une couleur …eue. — Comme il …eut, prends ton para…uie. — Les Suédois ont souvent les cheveux …onds. — L'architecte a dessiné les …ans d'un immeuble. — Ces joueurs portent des maillots …ancs. — Les fromages sont disposés sur un …ateau. — Sur la …age, les enfants font des châteaux de sa…e.

186 **Recopie ces phrases et complète les mots avec br ou pr.** ★★

Le …emier décem…e, il a fait froid. — Il fait bon se …omener à l'om…e des platanes. — La cham…e de Céline est toujours très …o…e. — Les vaches …outent l'herbe tendre de la …airie. — Marjane porte un …acelet au …as gauche.

187 **Recopie ces phrases et complète avec les mots qui conviennent.** ★★★

(peau – beau)

Géraldine a la … bronzée. — Simon a fait un … dessin.

(boire – poire)

Veux-tu … un soda ? — Cette … est vraiment juteuse.

(belle – pelle)

Je prends une … à gâteau. — Mercredi, ce fut une … journée.

188 **Recopie ces phrases et complète avec les mots qui conviennent.** ★★★

pêche – bêche – parque – barque – basse – passe

Le jardinier retourne le sol à l'aide d'une … . — Dans le salon, les verres sont posés sur une table … . — Préfères-tu manger une … ou une nectarine ? — Il ne faut pas s'aventurer en mer sur une petite … . — Sébastien … le ballon à son coéquipier. — Avant la nuit, le berger … ses moutons dans l'enclos.

Vocabulaire à retenir

une robe – la barbe – un arbre – brave – libre – le sable – la table
une poire – propre – pauvre – pénible – reporter – le départ – un chapeau

Révisions : exercice 326 page 98

24e Leçon — Les sons [d] et [t] (d) et (t), (dr) et (tr)

Règle

Oralement, on peut confondre les sons [d] et [t] qui sont parfois très proches.

une boîte vide – courir vite
prendre une douche – une touche de piano

Attention ! les lettres **d** et **t** peuvent être suivies d'une consonne.

un drapeau – un trappeur   du cidre – un citron

L'écriture permet de bien faire la différence.

189 Recopie ce tableau et classe les mots suivants. ★

On entend le son [d].	On entend le son [t].

une douzaine — un appartement — demain — une table — un tunnel — un cadeau — un sentier — un diable — la route — endormir — un souterrain — un bidon — sauter — l'ardoise — une serviette — un bâton — le retard — le matin — une cédille — un bandit

190 Recopie ces mots et complète avec d ou t. ★

soli...aire	un gar...ien	sou...enir	une frian...ise
un ...ableau	un chan...eur	un jar...in	un mala...e
ven...re...i	visi...er	la sala...e	la for...une

191 Recopie ces expressions et complète les mots avec d ou t. ★★

...écoller un ...imbre-pos...e
...remper une ...ar...ine dans le bol
ré...iger une or...onnance
s'arrê...er au ...euxième é...age

ache...er un ...isque
...raverser le ...ésert
...épasser les limi...es
u...iliser un co...on-...ige

192 Recopie ces phrases et complète les mots avec dr ou tr. ★★

Monsieur Nallet a changé les …aps de son lit. — Le …amway permet de se déplacer facilement dans les villes. — À la fin de la récréation, les élèves sont ren…és en classe. — Il faudra changer le ca…e de ce tableau. — Quel est le ti…e du livre que tu lis actuellement ?

193 Recopie ces phrases et complète avec les mots qui conviennent. ★★

(monde – monte)

Qui a fait le tour du … en ballon ? — Le campeur … sa tente.

(pédales – pétales)

La tulipe a perdu ses … . — Dans la côte, j'appuie sur les … .

(coude – coûte)

Ce jeu ne … que vingt euros. — Le joueur de tennis a mal au … .

(dard – tard)

Le … de la guêpe est douloureux. — Rentrons : il se fait … .

194 Recopie ces phrases et complète avec les mots qui conviennent. ★★★

tonne – donne – ton – don – dette – tête

Ce coureur a pris la … du peloton. — L'orage n'est pas loin ; il … déjà. — Nous avons fait un … pour les enfants victimes de la guerre. — Quand on a une …, il faut la rembourser. — Adèle … des cours de piano. — Tu enfiles … maillot de bain.

195 Recopie ces phrases et complète avec les mots qui conviennent. ★★★

toits – doigts – porte – corde – trois – droits

On mesure les angles … avec une équerre. — Les … des chalets sont pentus pour que la neige glisse. — Veux-tu sauter à la … ? — Seuls les … premiers de la course ont reçu une médaille. — Le pouce est le plus court des … . — En sortant, n'oublie pas de fermer la … .

Vocabulaire à retenir

la nature – le matin – triste – retenir – la suite – rester – une tartine
l'étude – un ordre – regarder – le monde – le Diable – produire – le directeur

Révisions : exercice 327 page 99

25e Leçon — Les sons [s] et [z] (s, ss, c, ç, t) et (s, z)

Règle

Le son [s] peut s'écrire :
- **s** : un masque – le savon – un ours
- **ss** entre deux voyelles : la vitesse – une tasse – un poussin
- **c** devant les voyelles **e**, **i**, **y** : la farce – cirer – un cygne
- **ç** devant les voyelles **a**, **o**, **u** : la façade – un glaçon – un reçu

Quelquefois, le son [s] s'écrit **t** devant la voyelle **i** :
la récréation – une addition – un Martien

Le son [z] peut s'écrire :
- **z** : le bazar – onze – un zèbre
- **s** seulement entre deux voyelles : la prison – une rose

196 Recopie le tableau et classe les mots suivants. ★

On entend le son [s].	On entend le son [z].

une adresse — la cuisine — lancer — un commerçant — un casier — un magazine — une assiette — une racine — respirer — une chemise — treize — une émission — un oiseau — un insecte — un blouson — un poisson — une ardoise — un lézard — la police — douze

197 Recopie le tableau et classe ces mots dans lesquels tu entends le son [s]. ★

On écrit s.	On écrit ss.	On écrit c.	On écrit ç.	On écrit t.

un bracelet — une balançoire — une portion — une caisse — un escalier — dessiner — la pharmacie — une action — un caleçon — danser — un lasso — le ciel — le français — transporter — la natation — une hélice — une solution — un maçon

198 Recopie ces phrases et complète avec les mots qui conviennent. ★

(coussin – cousin)

Mon … habite à Grenoble. — La chatte dort sur un … .

(dessert – désert)

Je n'ai pas fini mon … . — La caravane est perdue dans le … .

199 Recopie ces groupes de mots et complète avec s ou ss. ★★

la maître…e du CE1	un co…tume de clown
une dépen…e importante	une trou…e d'écolier
la cour…e à pied	une cui…e de poulet

200 Recopie ces mots et complète avec c ou ç. ★★

un gar…on	un …itron	la le…on	une ra…ine
dé…embre	un rempla…ant	mena…ant	une …entaine

201 Recopie ces expressions et complète les mots avec l'écriture du son [s] qui convient. ★★★

des chau…ures de …ki	pou…er un cri per…ant
re…evoir un bon con…eil	re…ter à sa pla…e

202 Recopie ces expressions et complète les mots avec l'écriture du son [z] qui convient. ★★★

regarder la télévi…ion	vi…iter un …oo
barrer tous les …éros	travailler dans une u…ine
écouter de la mu…ique	tondre le ga…on

203 Recopie ces phrases et complète les mots avec l'écriture des sons [s] ou [z] qui convient. ★★★

On a…i…te au départ de la fu…ée. — Le tireur vi…e la …ible. — Léo arro…e la …alade. — L'e…cargot se cache dans la mou…e. — Tu t'appuies au do…ier de la chai…e. — La ga…elle fait des …auts fanta…tiques. — Le ma…on termine la fa…ade de la mai…on.

Orthographe

Vocabulaire à retenir

suivre – une course	une place – le ciel	une leçon – le français
la classe – la mousse	une maison – un oiseau	la récréation – la natation

Révisions : exercices 328 et 329 page 99

26e Leçon — Les sons [m] et [n] (m et n)

RÈGLE

Oralement, on peut confondre les sons [m] et [n] qui sont parfois très proches.

une main – un nain une miche de pain – la niche du chien

L'écriture de ces deux lettres est également très proche. Il faut bien les former pour ne pas les confondre.

Attention ! lorsqu'on voit **m** ou **n**, on n'entend pas toujours [m] ou [n].

une jambe – ils attendent – sombre – un singe

204 Recopie ce tableau et classe les mots suivants. ★

On entend le son [m].	On entend le son [n].

un carnet — une plume — une chaîne — la crème — une note — démolir — la farine — endormir — un canard — un régime — le grenier — un monstre — le volume — une épine — une montre — un nombre — malin — imiter — un roman

205 Recopie ces mots et complète avec m ou n. ★★

la fu...ée un ...avire un a...ateur une caba...e
la ...ature une re...arque une usi...e une i...age
la ...isère la ...eige re...onter une ...appe

206 Recopie ces phrases et complète les mots avec m ou n. ★★

Antoi...e a de la pei...e ; sa ...a...an le console. — Le di...anche, Bastien porte une ...agnifique che...ise blanche. — Le bruit que fait cette ...achi...e n'est pas ...or...al. — Les ...u...éros que j'ai joués ...e sont ja...ais sortis. — Est-ce que tu vois ...ieux avec tes ...ouvelles lu...ettes ?

207 **Recopie ces phrases et complète avec les mots qui conviennent.** ★★

(mord – nord)

La boussole indique la direction du … . — Ce chien ne … jamais.

(met – net)

Le motard s'arrête … . — Ali … son vélo à l'abri.

(mon – nom)

Quel est le … de cette rue ? — Je recopie … résumé.

208 **Recopie ces phrases et complète avec les mots qui conviennent.** ★★

moi – noix – mourir – nourrir – naître – mettre – anis – amis

Pour marcher dans la boue, il faut … des bottes. — Aimes-tu les gâteaux aux … ? — Promis, je garderai ce secret pour … . — Si on ne l'arrose pas, cette plante va … . — Tu joues au Mémory avec tes … . — Farida achète des graines pour … ses perruches. — L'… est une plante parfumée. — Trois chatons viennent de … .

209 **Recopie et entoure dans chaque phrase le seul mot dans lequel tu entends le son [m].** ★★★

Les pompiers déroulent leur matériel pour éteindre le feu.
Le temps accordé au candidat est largement dépassé.
Victor a heurté la marche et il est tombé sur le genou.
Quand il fait sombre, tu allumes le lampadaire.
Si tu as faim, mange un peu de pain de campagne.

210 **Recopie et entoure dans chaque phrase le seul mot dans lequel tu entends le son [n].** ★★★

Au mois de janvier, les nuits sont plus courtes qu'en juin.
Lola et Adrien ne resteront pas longtemps ici.
Ces journaux sont imprimés en couleurs.
La maîtresse invente chaque jour une histoire.
Morgane demande son chemin à la passante.

Vocabulaire à retenir

une plume – la maladie – un meuble – la musique – remarquer – le fromage
revenir – une cabine – un nuage – un nid – une matinée – un animal – la semaine

Révisions : exercice 330 page 99

27e Leçon — Les sons [f] et [v] (f, ph) et (v)

Règle

Oralement, on peut confondre les sons [f] et [v] qui sont parfois très proches.

une petite fille – une grande ville
un faux bourdon – un petit veau

Les lettres **f** et **v** peuvent être suivies d'une consonne.

des légumes frais – de vrais bijoux

L'écriture permet de bien faire la différence.

Attention ! le son [f] s'écrit parfois ph.

un éléphant – une pharmacie – une photographie

211 Recopie ce tableau et classe les mots suivants. ★

On entend le son [f].	On entend le son [v].

sauf — nerveux — le téléphone — enfoncer — le réveil — verser — une fusée— fabriquer — une ferme — bavard — l'orthographe — défendre — délivrer — diviser — une girafe — un dauphin

212 Recopie ces mots et complète avec f ou v. ★

le pla...ond — la ...amille — un na...et — une ...uite
un di...an — per...orer — du par...um — un sacri...ice
le ...leu...e — le re...let — l'hi...er — une ...itre

213 Recopie ces expressions et complète avec f ou v. ★

...ouiller dans la ca...e
...ermer les ...olets
porter une ...este neu...e
casser un œu... dans la ...arine
tra...erser une ...orêt
avoir ...aim et soi...
re...oir un ...ieux ...ilm
arri...er au re...uge

214 **Recopie ces phrases et complète les mots avec f ou v.** ★★

Les élèves du CM1 …ont au gymnase. — S'il ne …reine pas dans le …irage, le conducteur …inira dans le …ossé. — Le capitaine du na…ire a é…ité le nau…rage. — Votre …isite m'a …ait plaisir. — Les majorettes dé…ilent de…ant la …oule admirati…e.

215 **Recopie ces phrases et complète les mots avec fr ou vr.** ★★

Sans gants, nous avons …aiment très …oid. — Nous faisons un exercice dans notre li…e de …ançais. — Aimerais-tu vi…e dans un pays a…icain ? — Les histoires de sorcières me donnent des …issons. — Pour …anchir le torrent sans te mouiller, tu sui…as ce chemin. — Romain se dépêche d'ou…ir son cadeau.

216 **Recopie ces phrases et complète avec les mots qui conviennent.** ★★★

(fin – vin)

Tania achète du sel … . — Les enfants ne boivent pas de … .

(fendre – vendre)

Pour … cette bûche, il faut une hache. — La moto de David est à … .

(fois – vois)

Tu ne … pas le temps passer. — J'ai repris deux … du dessert.

(feux – veux)

Tu … manger des épinards. — Il y a des … tricolores aux carrefours.

217 **Recopie ces phrases et complète avec les mots qui conviennent.** ★★★

vache – fâche – finir – venir – fous – vous

Les premiers concurrents courent comme des … . — Un collectionneur de timbres va … nous montrer sa collection. — Célia a bon caractère ; elle ne se … jamais. — À la bibliothèque, … choisissez des bandes dessinées. — Je viens juste de … mon travail. — Cette … donne plusieurs dizaines de litres de lait par jour.

Vocabulaire à retenir

un livre – la rivière – la vigne – un devoir – revenir – la cave
le facteur – une ferme – le feu – la famille – une fille – la fortune – un fleuve

Orthographe

Révisions : exercice 331 page 99

28e Leçon — Les sons [ʃ] et [ʒ] (ch) et (j, g, ge)

Règle

Oralement, on peut confondre les sons [ʃ] et [ʒ] qui sont parfois très proches.

un chou – une joue   une chambre – une jambe

Le son [ʃ] s'écrit **ch** :

riche – charmant – un chiffre – une chose

Le son [ʒ] peut s'écrire :

- **j** : un pyjama – un sujet – une jument – un jouet
- **g** devant **e, i, y** : le genou – une girafe – la gymnastique
- **ge** devant **a, o** : l'orangeade – un pigeon

218 **Recopie ce tableau et classe les mots suivants.** ★

On entend le son [ʃ].	On entend le son [ʒ].

un chien — garage — un jeton — un mouchoir — une ruche — un gendarme — du chocolat — une mouche — un bijou — la mâchoire — un singe — une broche — le givre — juillet

219 **Recopie ce tableau et classe ces mots dans lesquels tu entends le son [ʒ].** ★

On écrit j.	On écrit g.	On écrit ge.

une jupe — une nageoire — une bougie — le judo — la neige — un cageot — une journée — jamais — une auberge — la vengeance — un villageois — la rougeole — du jambon — le ménage — des jumeaux — sage — une gifle — rouge — déjeuner — toujours

220 **Recopie ces mots et complète avec ch ou j.** ★★

…ongler	le …ardin	…aune	une ma…ine
une …anson	un ob…et	un …ariot	la …ance

221 **Recopie ces mots et complète avec ch ou g.** ★★

une pa…e — …ez — un ro…er — réa…ir
une po…e — un …éant — la pla…e — appro…er
une bi…e — un a…ent — …auffer — le visa…e

222 **Recopie ces phrases et complète avec les mots qui conviennent.** ★★

(manche – mange)
Je … une pizza au fromage. — Aldo a déchiré la … de sa veste.

(bouche – bouge)
Le chien ne … pas une oreille. — On ne parle pas la … pleine.

(marche – marge)
Tu inscris la date dans la … . — Ne … pas dans les flaques d'eau.

223 **Recopie ces phrases et complète les mots avec ch, g ou ge.** ★★

En man…ant de la viande ha…ée, Nina s'est mordu la langue ! — Il faut ran…er ces …iffres du plus petit au plus grand. — La …elée de la nuit dernière a détruit tous les bour…ons. — On range les tor…ons sur une éta…ère de la cuisine. — Je …er…e à savoir comment le ma…icien a transformé la souris en pi…on.

224 **Recopie ces phrases et complète avec ces mots dans lesquels tu entends le son [ʒ].** ★★

plongeon – trajet – argent – jeudi – courageux – majeur – nageur

Ce … a battu le record du monde. — Le …, un professeur de musique vient en classe. — Maggy effectue un superbe … dans le grand bassin. — Le … est le plus long des doigts. — Le … chevalier tue le dragon. — As-tu assez d'… pour payer ce magazine ? — Maxime fait le … entre son immeuble et l'école en cinq minutes.

Vocabulaire à retenir

une vache – une chemise – un cheval – déchirer – la niche – la chaleur
le jardin – jeune – le déjeuner — rouge – sage – une image – la cage

Orthographe

Révisions : exercice 332 page 99

29e Leçon — Le son [g] (g, gu)

RÈGLE

Le son [g] peut s'écrire :

– **g** devant les voyelles **a, o, u** et les consonnes **l** et **r** :
la gare – une gourde – régulier – glisser – une grappe

– **gu** devant les voyelles **e** et **i** :
la langue – se déguiser – la longueur

Attention ! si on oublie de placer le **u** devant **e** et **i**, on obtient le son [ʒ].

225 **Recopie ces mots et entoure les lettres qui font le son [g].** ★

la guerre	la galerie	le verglas	le guichet
une goutte	un gobelet	aiguiser	gourmand

226 **Recopie ce tableau et classe ces mots dans lesquels tu entends le son [g].** ★

On écrit g.	On écrit gu.

un dialogue — un guide — garnir — la grille — longue — un bagage — la gorge — une blague — la guérison — un gardien — une digue — un régal — un wagon

227 **Recopie ces phrases et souligne les mots dans lesquels tu entends le son [g].** ★

La guimauve est une friandise appréciée des enfants. — As-tu déjà assisté à un spectacle de guignol ? — Les aveugles lisent avec leurs doigts. — Il n'y a pas beaucoup d'élèves qui écrivent de la main gauche. — La virgule est un signe de ponctuation. — La mangue est un fruit délicieux.

228 **Recopie ces mots et complète avec g ou gu.** ★★

une piro...e navi...er le ...renier un ...roupe
un escar...ot un four...on une fi...e distin...er
un ...amin vi...oureux une ci...ogne une mar...erite

229 **Recopie ces expressions et complète les mots avec g ou gu.** ★★

se rouler sur le ...azon
...onfler les pneus du vélo
placer des ...irlandes sur le sapin
verser une ...outte d'eau
trouver une fève dans la ...alette
conju...er un verbe
...érir rapidement
entrer dans le ma...asin
jouer de la ...itare
être bercé par les va...es

230 **Recopie ces phrases et complète les mots avec g ou gu.** ★★

À l'approche de Noël, Nathan re...arde un catalo...e de jouets. — Le rectan...le est une fi...ure de quatre côtés. — Le motard met des ...ants pour tenir son ...idon. — Lionel n'aime ...ère la soupe de lé...umes. — Le cheval n'est pas fati...é ; il part au ...alop.

231 **Recopie ces phrases et complète les mots avec g ou gu.** ★★

La fumée des ci...arettes provoque de ...raves maladies. — Le druide ...aulois cueillait du ...i. — Le ...orille est le plus ...rand de tous les singes. — Comme dessert, veux-tu un ...âteau ou une ...lace ? — Papa ...ette l'arrivée du facteur. — Ce plat de pâtes n'a pas de ...oût.

232 **Devinettes. Dans tous les noms, on entend le son [g].** ★★★

Celle de la fée est magique. → la ba . . . tte
C'est un bijou que l'on porte au doigt. → la ba . . .
Cet engin transporte de lourdes charges. → une . . ue
Avec elle, on efface les traits de crayon. → la . . mme
La piqûre de cet insecte est douloureuse. → la . . êpe

Vocabulaire à retenir

la gare – le gardien – la figure – aveugle – la gauche – un wagon
la langue – la guitare – la fatigue – guider – naviguer – la longueur – guetter

Orthographe

Révisions : exercice 333 page 100

30e Leçon — Le son [k] (c, qu, k)

RÈGLE

Le son [k] peut s'écrire :

– **c** seulement devant **a, o, u** ou une **consonne** :
casser – le courage – reculer – la classe – la crème

– **qu** : la musique – quatre – l'équilibre – quotidien

– **k** : le kilo – un anorak – le parking

Comme il est difficile de choisir entre ces différentes écritures, il est prudent de consulter un dictionnaire.

233 Recopie le tableau et classe ces mots dans lesquels tu entends le son [k]. ★

On écrit c.	On écrit qu.	On écrit k.

quatre — un kimono — un placard — une barque — le basket — remarquer — mercredi — un kilomètre — un élastique — écrire — un judoka — le courant — fabriquer — lorsque — une sacoche

234 Recopie ces phrases et entoure les mots dans lesquels tu entends le son [k]. ★★

Anaïs se repose sur le canapé du salon. — Le kangourou est un animal sauteur qui vit en Australie. — Avant l'émission, les actrices se maquillent. — Les dents du requin sont redoutables. — Cette année, la récolte de haricots sera abondante.

235 Recopie ces mots et complète avec c ou qu. ★★

un pa…et	minus…ule	cir…uler	…ro…er
ra…onter	une ra…ette	un é…lair	une …estion
une …arotte	une bouti…e	un …onseil	pour…oi
la ban…e	un abri…ot	le …ai	une …améra

236 **Recopie ces phrases et complète les mots avec c, qu ou k.** ★★

Le …osmonaute a fait une sortie dans l'espace. — À la …ermesse du …artier, nous avons pêché à la ligne. — Prendras-tu une pizza ou une …iche lorraine ? — Le perro…et est un oiseau bavard.

237 **Remplace une lettre du mot entre parenthèses par c ou qu pour trouver le mot qui complétera chaque phrase.** ★★★

(fête) → On fait la **quête** pour les enfants malades.
(lave) → Il n'y a plus de lumière dans la … de l'immeuble.
(goûte) → Ce jeu électronique … trente euros.
(furieux) → Noé est … ; il veut tout savoir.
(sel) → … vêtement allez-vous mettre aujourd'hui ?
(fuir) → Le pompier a des bottes en … .

238 **Recopie ces phrases et complète avec un mot que tu formeras avec les lettres en désordre.** ★★★

a – t – r – q – e – u → Dans un jeu de cartes, il y a **quatre** couleurs.
c – u – e – s – r → Je mets un morceau de … dans mon bol de lait.
i – l – k – o → Nasser achète un … de pommes.
i – w – k – i → Le … est un fruit délicieux.
c – o – t – s – e – n → Les enfants adorent les … de fées.
z – e – q – u – n – i → La sœur de Louna est âgée de … ans.

239 **Devinettes. Dans tous les noms, on entend au moins deux fois le son [k].** ★★★

C'est la maison de l'escargot. → la . o . . ille
Le motard doit toujours en porter un. → un . as . . e
C'est un animal de basse-cour à la crête rouge. → un . o .
Cet instrument effectue rapidement les opérations. → une . al . ulatrice
C'est un animal à la mâchoire redoutable. → un . ro . odile
Cette fleur rouge pousse dans les champs de blé. → un . o . . eli . ot

Vocabulaire à retenir

une carte – cultiver – un article – un carton – le couloir – une caisse – écouter
une brique – une raquette – un casque un kilo – le parking – le ski

Orthographe

Révisions : exercice 334 page 100

31e Leçon Les accents

RÈGLE

Les accents **modifient la prononciation** de la lettre **e**.

Avec l'**accent aigu** (´), la lettre **e** se prononce [e].
le café – obéir – le départ – la séance

Avec l'**accent grave** (`), la lettre **e** se prononce [ɛ].
une règle – la colère – la lèvre – le gruyère

Avec l'**accent circonflexe** (^), la lettre **e** se prononce [ɛ].
la fête – la forêt – même – la fenêtre

On trouve aussi des **accents graves** et **circonflexes** sur d'**autres voyelles**.
déjà – où – un gâteau – le maître – l'hôpital – brûler

240 **Recopie ce tableau et classe les mots suivants.** ★

On entend [e].	On entend [ɛ].	
On écrit é.	On écrit è.	On écrit ê.

un légume — des guêtres — la manière — l'aéroport — un poète — la réalité — honnête — un chêne — quatrième — écrire — la scène — un ancêtre — une épée — la bêtise — la crème

241 **Recopie ces phrases et complète avec les mots qui conviennent. Entoure les lettres accentuées.** ★

caissière – enquête – hélice – étincelle – péage – barrière – écureuil

La ... rend la monnaie. — L'... fait une provision de noisettes. — L
... du ... reste fermée. — Le bateau n'avance plus : l'... ne tourn
pas. — Une simple ... peut provoquer un incendie. — À la suite d
vol, les policiers font une ... .

242 **Recopie ces mots et place les accents aigus oubliés.** ★★

une etoile — un debut — le materiel — l'interieur
le ble — etrange — precieux — une annee
une epingle — verifier — l'ecole — reunir

243 **Recopie ces mots et place les accents graves oubliés.** ★★

la portiere — un modele — un siege — un metre
le systeme — une vipere — la lumiere — apres
la mere — un progres — le solfege — une fleche

244 **Recopie ces mots et place les accents circonflexes oubliés.** ★★

la tempete — une peche — la crete — gener
une guepe — preter — une crepe — une bete
rever — un vetement — une arete — la grele

245 **Recopie ces mots et place les accents circonflexes oubliés.** ★★

une buche — le paté — un cable — le chateau
une flute — un fantome — un baton — le diner
une chaine — un crane — un pylone — gouter

246 **Recopie ces mots et place les deux accents oubliés.** ★★★

la verite — un elephant — le telephone — un eleve
la melee — demenager — l'ete — la meteo
preferer — l'electricite — celebre — une ecoliere
un bebe — l'egalite — le benefice — reflechir

247 **Recopie ces phrases et place les accents oubliés.** ★★★

Le reveil a sonne de bonne heure. — Le pere de Nils deguste un fromage de chevre. — Un ecran de cinema est toujours blanc. — La panthere se deplace en silence. — Comme tu as de la fievre, tu vas chez le medecin. — Le joueur a donne un coup de tete dans le ballon.

Vocabulaire à retenir

l'été – la télévision – l'école – un élève
la tête – la fête – la forêt – rêver
la mère – le père – le frère – une pièce
le château – une île – le côté

Orthographe

Révisions : exercice 335 page 100

32e Leçon — Le son [e] (é, ée, er)

Règle

À l'intérieur des mots, le son [e] s'écrit toujours **é**.
un vélo – spécial – un séjour

Beaucoup de noms masculins terminés par le son [e] s'écrivent **-er**.
le danger – le plancher – le métier

Quelques-uns s'écrivent **-é**.
le thé – le blé – un résumé

Les noms féminins terminés par le son [e] s'écrivent **-ée**.
une journée – une poupée – la rangée

Exceptions : la clé et plusieurs noms terminés par **-té** ou **-tié**.
la santé – la vérité – une qualité – la moitié

248 Recopie ces phrases et complète avec les mots qui conviennent. ★

trésor – résultat – séance – récompense – vérifie

Une bonne note … ce travail bien fait. — La … de cinéma commence à seize heures. — Les pirates enterrent leur … au pied d'une montagne. — Yanis … le … à l'aide de sa calculatrice.

249 Recopie ces phrases et complète avec les mots qui conviennent. ★

purée – terrier – marée – liberté – pincée – escalier

L'ascenseur est en panne ; je monte par l'… . — Je mets une … de sel sur ma … . — On trouve des coquillages à … basse. — Le lapin se cache dans son … . — Dans la savane, les zèbres vivent en … .

250 Recopie et place l'article un ou une devant ces noms.

… dragée	… quartier	… bouée	… qualité
… poupée	… clocher	… cheminée	… gauche
… fusée	… café	… tournée	… côté

251 **Recopie le tableau et classe ces noms terminés par le son [e].** ★

Noms masculins		Noms féminins	
Terminaison -er	Terminaison -é	Terminaison -ée	Terminaison -té

la volonté — l'idée — le voilier — le défilé — le pavé — l'épée — l'unité — le casier — le pré — le berger — la fumée — la santé — l'araignée — le clocher — le fossé — la bonté — la société

252 **À côté de chaque nom de fruit, écris le nom de l'arbre ou de la plante.** ★★

la fraise → le fraisier

la rose — la cerise — la prune — la pomme
la poire — l'amande — l'orange — la banane

253 **Trouve le nom terminé par -ée de la même famille que le mot proposé.** ★★

le jour → la journée

un matin — l'an — entrer — arriver
penser — la gorge — un soir — le gel

254 **Devinettes. Retrouve le métier qui correspond à ces définitions. Tous les noms se terminent par le son [e].** ★★★

Il découpe de la viande. → le b . . . . . .
Il vend des bagues et des colliers. → le b . . . .
Il confectionne de savoureux gâteaux. → le p . . . .
Il éteint les incendies. → le p . . . . . .

255 **Recopie ces phrases et complète les noms terminés par le son [e].** ★★★

Je trace un carr... sur une feuille de papi... . — Benoît recopie l'énonc... de l'exercice sur son cahi... . — On étale du gravi... sur la chauss... . — Il y a de la bu... sur les vitres. — La curiosit... pousse Lisa à ouvrir ce coffret.

Vocabulaire à retenir

une poupée – une journée
un métier – le danger – un panier
la moitié – la bonté – la liberté – l'égalité
le café – le thé – le blé – le canapé

Orthographe

Révisions : exercice 336 page 100

33e Leçon — Le son [ɛ] (e, è, ê, ai, ei)

Règle

Le son [ɛ] peut s'écrire de plusieurs façons :

- **è** : la sirène – la colère – une chèvre
- **ê** : la guêpe – arrêter – une bête
- **ai** : un balai – baisser – faible
- **ei** : la neige – beige – une baleine
- **e** devant une **double consonne** :
  une cuvette – belle – une tresse
- **e** devant une **consonne qui termine une syllabe** :
  per-du – un bec – le res-te – la lec-ture

Comme il est difficile de choisir entre ces différentes écritures, il est prudent de consulter un dictionnaire.

256 Recopie le tableau et classe ces mots dans lesquels tu entends le son [ɛ]. ★

On écrit è.	On écrit ê.	On écrit ai.	On écrit ei.	On écrit e.

prêter — une maison — gêner — la crête — des lunettes — beige — une ménagère — laisser — la paix — il lève — la mère — l'haleine — le sommet — verser — freiner — près — même

257 Recopie ces phrases et entoure les lettres qui font le son [ɛ]. ★

Daphné et Aurélie sont deux sœurs jumelles ; elles portent la même robe. — Le seigneur vivait dans le donjon de son château fort. — La violente tempête a arraché les tuiles des toits. — Sur les routes enneigées, on peut se déplacer en traîneau. — Léonie a une paire de bottes fourrées. — L'avion atterrit en douceur.

258 **Recopie ces mots et complète avec è ou ai.** ★★

la l...ne	un ...gle	la gr...sse	le coll...ge
la lisi...re	une ar...gnée	un pi...ge	fid...le
m...gre	une plan...te	un po...me	un si...ge

259 **Recopie ces mots et complète avec ê ou ei.** ★★

un b...gnet	la for...t	une p...che	la p...ne
une ar...te	tr...ze	un r...ve	un p...gne
la r...ne	une enqu...te	une v...ne	une b...che

260 **Recopie ces phrases et place les accents graves oubliés.** ★★

Marie suit des cours de solfege. — Je cherche la premiere lettre de ce mot. — Il y a beaucoup de pierres dans la carriere. — Mon frere termine son dessin. — Ce sentier se termine par une barriere ; nous n'irons pas plus loin. — Mon pere se sert d'une pelle pour creuser un trou.

Orthographe

261 **Recopie ces phrases et complète avec le mot qui convient.** ★★

(guère – guerre)

Il n'y a plus ... d'eau. — On ne devrait jamais faire la ... .

(mètre – mettre)

Le menuisier utilise un ... pliant. — Qui va ... la table ?

(chêne – chaîne)

Médor tire sur sa ... : il a faim. — Le ... a perdu toutes ses feuilles.

(très – trait)

Ce ... est trop épais ; gomme-le. — Ce lutteur est vraiment ... fort.

262 **Devinettes. Tous les noms se terminent par le son [ɛ].** ★★★

Avec elle, on écrit au tableau. → la cr . . .
L'arbitre l'utilise pour donner le coup d'envoi. → un siff . . .
On le trace avec une règle. → le tr . . .
On le chante après le refrain. → le cou . . . .
On en offre des brins le 1er mai. → le mu . . . .

Vocabulaire à retenir

un balai – faible – baisser – la laine – maigre – la graisse – une araignée
la neige – la reine – freiner – un seigneur – un beignet – treize – peigner

Révisions : exercice 337 page 100

34e Leçon — Les sons [y] et [u] (u) et (ou)

Règle

Le son [y] s'écrit toujours **u**.
la lumière – un cube – la fumée

Il y a quelquefois un **accent circonflexe** sur le **u.**
des fruits mûrs – une bûche

Le son [u] s'écrit toujours **ou**.
la couture – bouger – un trou

Il y a quelquefois un **accent circonflexe** sur le **u**.
la croûte – le goûter

263 Recopie ces phrases et complète avec les mots qui conviennent. Entoure le son (u). ★

butinent – couleurs – surpris – ruche – nature – costume

Il faut protéger la … . — Pour le carnaval, Justine porte un … de marquise. — Les abeilles … les fleurs et retournent à la … . — Le tour de magie a été si rapide que les spectateurs sont … . — Quelles sont les … du drapeau français ?

264 Recopie ces phrases et entoure les mots dans lesquels tu entends le son (ou). ★

Ce chemin est boueux ; n'y allez pas. — Tu as fait un mouvement brusque et tu as fait peur à l'oiseau. — Sabine a offert un bouquet de tulipes à sa maman. — Ce remède soulagera ta douleur. — Au mois d'août, nous sommes en vacances. — Abdel savoure sa glace.

265 Recopie ces mots et complète avec u ou ou. ★★

du s…cre	une r…te	une pl…me	un m…lin
un m…let	c…per	p…voir	la m…sique
t…rner	un n…age	la p…dre	la fig…re
un j…et	une …sine	un s…venir	sal…er

266 **Recopie ces phrases et complète avec les noms suivants qui se terminent par le son (u).** ★★

statue – intrus – venue – rébus – menu – début

Les dessins vous aident à trouver ce … . — Le … des repas de la semaine est affiché au restaurant scolaire. — Nous avons manqué le … de l'émission. — On voit une … au centre de la place du quartier. — On attend la … de nos correspondants. — Dans cette liste de mots, il faut trouver l'… .

267 **Recopie ces phrases et complète avec les noms suivants qui se terminent par le son (ou).** ★★

caillou – bout – roue – clou – goût – verrou – caoutchouc – toux

La salle informatique se trouve au … du couloir. — La … arrière droite du camion est dégonflée. — Le pêcheur a des bottes en … . — Pour calmer sa …, Tony boit du sirop. — Pour planter un …, prends un marteau. — Pour fermer le portail, pousse le … . — Thomas boite : il a un … dans sa chaussure. — Les épices donnent du … aux plats.

268 **Recopie et entoure dans chaque phrase le seul mot dans lequel tu entends le son (u).** ★★★

Attends-moi : je n'en ai que pour deux minutes. — Aurélien s'est mordu la langue. — Les élèves sont réunis autour de la maîtresse. — Il faut toujours soigner son écriture. — Il n'y a plus de feu dans la cheminée ; il fait froid. — Le jeudi, beaucoup d'élèves restent à l'étude.

269 **Recopie et entoure dans chaque phrase le seul mot dans lequel tu entends le son (ou).** ★★★

Il paraît que la soupe fait grandir les enfants. — Chaque semaine, je reçois un journal. — Il ne faut pas toucher les fils électriques. — On construit un nouvel immeuble près du parc. — Prends un entonnoir afin de remplir la bouteille. — Aidé de son chien, le berger rassemble son troupeau.

Orthographe

Vocabulaire à retenir

la rue – la vue – la fumée – la grue – une plume – réunir – le dessus – le tissu
la route – pouvoir – la soupe – la bouche – louer – le jour – la douleur

Révisions : exercice 338 page 100

35e Leçon — Le son [ɑ̃] (an, en, am, em)

Règle

Le son [ɑ̃] peut s'écrire :

- **an** : un ruban – manger – un banc
- **en** : pendre – une centaine – gentil

Le son [ɑ̃] peut également s'écrire **am** et **em** (voir leçon 38, page 87).

Comme il est difficile de choisir entre ces différentes écritures, il est prudent de consulter un dictionnaire.

270 **Recopie le tableau et classe ces mots dans lesquels tu entends le son [ɑ̃].** ★

On écrit an.	On écrit am.	On écrit en.	On écrit em.

l'aventure — apprendre — blanc — encadrer — une rangée — le temps — présenter — l'avantage — encore — un éléphant — la jambe — un serpent — la langue — grandir — étendre — une pancarte — une tranche — la chambre — la cantine — le silence — fendre — trembler — danser — le centre — enlever — un gant

271 **Recopie le tableau, classe les mots suivants et entoure les lettres qui font le son [ɑ̃].** ★

Famille de « chanter »	Famille de « dent »	Famille de « avant »	Famille de « vendre »

le chant — le dentiste — devant — la vente — le dentier — chantonner — un vendeur — le dentifrice — devancer — la chanson — un invendu — la devanture — la dentition — avancer — édenté — une chanteuse — l'avance — une chansonnette — invendable — la dentelle — un revendeur — une vendeuse — un chanteur

272 Recopie ces phrases et entoure les mots dans lesquels tu entends le son [ɑ̃]. ★

Thierry balaie le plancher. — Solène se plaint de la gorge : elle a une angine. — Le plat de viande est accompagné de haricots verts. — Il faut toujours avoir une alimentation équilibrée. — Qui a déclenché la sonnette d'alarme ? — Quand on traverse une rue, on doit être prudent.

273 Recopie ces phrases et remplace les expressions en gras par les adverbes suivants. ★★

chaudement – lentement – adroitement – directement – tristement

Lucie suit **d'un air triste** le départ de son père. — Le fauve s'approche **avec des mouvements lents**. — Je me rends **par le chemin le plus direct** au gymnase. — En hiver, on s'habille **avec des vêtements chauds**. — Yohan découpe l'image **d'une manière adroite**.

274 Recopie ces phrases et remplace les groupes de mots en gras par les expressions qui conviennent. ★★

en suivant – en soulevant – en remplissant – en dormant

Le déménageur s'est blessé **quand il a soulevé** cette énorme caisse. — Lina a crié **pendant qu'elle dormait**. — Je me suis mouillé les jambes **quand j'ai rempli** le seau. — Le conducteur a retrouvé sa route, **car il a suivi** la carte.

275 Recopie ces phrases et complète avec des mots de la même famille que ceux entre parenthèses. ★★

Le matin, je bois un jus d'… (l'orangeade). — Mandy s'installe sur la … (se balancer) de la cour. — Le … (un angle) est une figure qui a trois côtés. — Dans la région, il y a beaucoup de … (volcanique).

276 Recopie ces mots et complète avec l'écriture du son [ɑ̃] qui convient. ★★★

la mam…	appr…dre	une pl…te	la br…che
…trer	les par…ts	bl…chir	dim…che
v…dredi	une gr…ge	r…contrer	un h…gar

Vocabulaire à retenir

maman – une plante – une branche – manger – grand – un fantôme – le sang
un menteur – un parent – rendre – une dent – vendre – prendre – l'entrée

Orthographe

Révisions : exercice 339 page 101

36e Leçon — Le son [ɛ̃] (in, im, ein, ain, en, aim)

RÈGLE

Le son [ɛ̃] s'écrit très souvent **in** :
un sapin – mince – pincer – un dindon

Mais il existe d'autres écritures de ce son :
– **ain** : demain – le terrain – la main
– **ein** : peindre – plein – le rein
– **en** à la fin d'un mot : un chien – un moyen – bien

Il y a quelques mots avec des écritures particulières :
la faim – le tympan

Le son [ɛ̃] peut également s'écrire **im** (voir leçon 38, page 87).

Comme il est difficile de choisir entre ces différentes écritures, il est prudent de consulter un dictionnaire.

277 **Recopie le tableau et classe ces mots dans lesquels tu entends le son [ɛ̃].** ★

On écrit in.	On écrit ain.	On écrit ein.	On écrit en.

le linge — craindre — certain — un collégien — un insecte — un écrivain — bientôt — la teinture — un dauphin — le chemin — cinq — maintenant — une feinte — un gardien — un copain

278 **Recopie ces phrases et complète avec les mots qui conviennent. Entoure les lettres qui font le son [ɛ̃].** ★

main – appartient – instrument – vainqueur – frein – olympiques – lointain – vaccin

Aux Jeux …, le … de la course reçoit une médaille d'or. — On aperçoit un voilier dans le … . — Ce cahier … à Gabriel. — Ce … nous protège contre la rougeole. — Le violoniste prend soin de son … . — Le conducteur oublie de serrer le … à … .

279 **Recopie ces phrases et complète avec les mots qui conviennent.** ★★

(faim – fin)

La … du film est bien triste. — Je meurs de … !

(pain – pin)

Ce meuble est en … . — Tu coupes un morceau de … .

280 **Recopie ces phrases et complète avec des mots dans lesquels tu entends le son [ɛ̃]. Aide-toi du mot entre parenthèses.** ★★

Comme il pleut, le … (la marine) sort son ciré. — Nathalie offre des … (patiner) à son neveu. — Monsieur Martin soigne son … (jardiner) potager. – Yasmine nage dans le grand … (une bassine). — Ce … (la matinée), nous avons appris une poésie.

281 **Recopie ces groupes de mots et complète avec in ou ain.** ★★

un lap… blanc — un proch… jour — un pays …connu

le mois de ju… — les wagons du tr… — un vil… gam…

un gai refr… — un moul… à vent — un rav… profond

282 **Écris au masculin les mots en gras.** ★★

une grande **musicienne** → un grand musicien

une ville **souterraine** → un passage …

une tente **indienne** → un chef …

une **chanteuse canadienne** → un … …

une **lointaine cousine** → un … …

283 **Recopie ces groupes de mots et complète avec in ou ein.** ★★★

la p…ture à l'eau — un magas… de jouets — une c…ture noire

un pouss… jaune — un verre pl… — un gros chagr…

ét…dre la lumière — un pr…ce charmant — du rais… noir

Vocabulaire à retenir

un lapin – un moulin – un chemin – un prince – le linge – invisible – mince

la main – le pain – demain – un copain – craindre — la faim

Révisions : exercice 340 page 101

37e Leçon (ian) et (ain) (ien) et (ein) (ion) et (oin)

Règle

Selon la place du **i**, certains groupes de lettres font des sons différents :

- **ian** → [jɑ̃] : la viande – la confiance – souriant
- **ain** → [ɛ̃] : un copain – demain – maintenant
- **ien** → [jɛ̃] : un chien – ancien – aérien
- **ein** → [ɛ̃] : les freins – la ceinture – peindre
- **ion** → [jɔ̃] : un camion – un champion – un avion
- **oin** → [wɛ̃] : moins – un recoin – le foin

284 Recopie ces phrases et complète les mots avec ian ou ain. ★★

Le prince a rencontré sa f...cée au palais du roi. — Le cuisinier a mis des gr...s de maïs dans la salade. — Ce drapeau a la forme d'un tr...gle. — Il y a de gros nuages ; on cr...t un orage. — Au camping nous utilisons des chaises pl...tes. — Mélinda s'est tordu la cheville en sk...t. — Le camion disparaît dans le loint... .

285 Recopie ces mots et complète avec ien ou ein. ★★

la p...ture	b...tôt	un Ital...	le m...
il v...t	un gard...	elle ét...t	un pharmac...

286 Recopie ces phrases et complète les mots avec ion ou oin. ★★

Quelle est la p...ture de tes chaussures ? — Nous regardons une émiss... à la télévis... . — J'avance mon p... de quatre cases. — À la fin de la phrase, je place un p...t d'interrogat... . — L'arrivée n'est pas l... ; les coureurs accélèrent. — David a été tém... d'un accident.

Vocabulaire à retenir

la viande – un triangle – le grain
une ceinture – les freins – un chien
un lion – un pion – loin – un point

Révisions : exercice 341 page 10

Leçon m devant b, m, p

RÈGLE

Devant les lettres b, m, p, il faut écrire **m au lieu de n.**

la jambe – sombre – un timbre
emmener – emménager – emmêler
un champion – une pompe – simple

Exceptions : un bonbon – une bonbonne

Orthographe

287 Complète ces mots avec m ou n. ★

le do…pteur	e…registrer	le mo…de	ca…per
un e…ploi	e…tourer	co…battre	bo…jour
to…ber	i…portant	un ta…bour	nove…bre
to…dre	co…pter	le plafo…d	la cha…bre

288 Recopie ces phrases et complète les mots avec m ou n. ★★

Co…bien y a-t-il de lettres dans le mot mo…tagne ? — Le si…ge gri…pe aux arbres et fait rire les e…fa…ts. — La famille Léon passe ses vaca…ces à la ca…pagne. — Je suce un bo…bon à la me…the. — Au petit déjeuner, pre…dras-tu de la co…pote ou de la co…fiture ? — Le no…bre vi…gt s'écrit avec deux chiffres.

289 Écris le contraire de ces mots en plaçant in ou im. ★★★

correct → incorrect

buvable	praticable	pair	connu
cassable	complet	vaincu	prudent
pur	mangeable	patient	visible

Vocabulaire à retenir

la chambre – la jambe – la campagne
un emploi – trembler – ensemble
un timbre – important – imposer
un compagnon – tomber – sombre

Révisions : exercice 342 page 101

39e Leçon — Les consonnes doubles

Règle

Les consonnes peuvent être doublées :

– **entre deux voyelles** :

commencer – une grappe – un ballon – la terre
le coiffeur – lutter – sonner

– **devant** les consonnes **l** ou **r** :

souffler – s'appliquer – approcher – une lettre

Il n'y a jamais de consonne double après une voyelle accentuée.

la fête – un frère – un château – une sirène – le trône

Comme il est difficile de savoir quand on doit doubler la consonne, il est prudent de consulter un dictionnaire.

290 **Recopie ces phrases et entoure les consonnes doubles.** ★

Une équerre permet de mesurer les angles droits. — Un morceau de bois flotte à la surface de l'eau. — L' atterrissage de l'avion est prévu à dix heures. — Pour son anniversaire, Lucie a reçu de nombreux cadeaux. — Pour débuter le repas, je mange des carottes râpées. — Lydie colle un timbre sur l'enveloppe avant de la poster. — Après la leçon de grammaire, nous faisons un exercice.

291 **Recopie et complète les mots de chaque colonne avec la même consonne double.** ★

une a…iche	le te…ain	ra…orter	une broue…e
a…irmer	un pa…ain	su…rimer	reme…re
sou…ler	co…iger	a…liquer	a…irer
un gou…re	ma…on	un a…areil	une mie…e
o…rir	un ve…e	une na…e	ne…oyer
une a…aire	l'a…ivée	su…orter	une choue…e

292 **Recopie ces phrases et complète avec les mots qui conviennent.** ★★

(notes – bottes)
On écrit les … de musique sur la portée. — Manon porte des … en cuir.
(gare – barre)
Je … les intrus de la liste. — Le train entre en … .
(pirate – chatte)
Le … porte un bandeau noir sur l'œil. — La … a eu trois petits.
(minute – butte)
Le moulin à vent se trouve sur une … . — Le film débutera dans une … .

293 **Recopie ces expressions et complète avec une seule consonne ou une consonne double. Lis bien les mots à haute voix.** ★★

avoir mal à la tê…e
une ante…e de télévi…ion
faire un é…orme e…ort
déplacer un tas de pie…es
prendre une mie…e de pain
ê…re en colè…e
pré…é…er les oranges aux citrons
manger avec une fourche…e

294 **Recopie ces phrases et double, s'il le faut, la consonne. Lis bien les mots à haute voix.** ★★

Une mouet…e se pose sur la plage. — J'ai avalé une arêt…e de pois…on. — La fenêt…re de la chambre est encore ouvert…e. — Armelle ef…ace le tableau. — Le bruit des trains gên…e monsieur Bert. — Pour met…re le feu sur le gaz, on frot…e une allumet…e.

295 **Recopie ces mots et complète avec une consonne simple ou une consonne double.** ★★★

(n – nn)	(m – mm)	(l – ll)	(t – tt)
une so…erie	une se…aine	un ba…on	qui…er
une perso…e	une po…e	un rô…e	un bou…on
un ca…ard	co…ent	un vi…age	un au…obus
inco…u	de…ain	une éche…e	des lune…es

Vocabulaire à retenir

un homme – une femme – une pomme
la terre – le terrain – le territoire – atterrir
une année – une personne – connaître
un ballon – coller – la colline

Orthographe

Révisions : exercice 343 page 101

40e Leçon — Les noms terminés par le son [o] (-eau, -au, -o)

Règle

Les noms terminés par le son [o] s'écrivent souvent **-eau**.

le roseau – un barreau – un traîneau

Il existe deux autres terminaisons qui peuvent être suivies d'une lettre muette :

– **au** : un tuyau – un étau un artichaut – un crapaud

– **o** : une photo – un numéro un chariot – le propos

Comme il est difficile de choisir entre ces différentes écritures, il est prudent de consulter un dictionnaire.

296 **Recopie le tableau et classe ces noms dans lesquels tu entends le son [o].** ★

Terminaison -eau	Terminaison -o	Terminaison -au + lettre muette	Terminaison -o + lettre muette

l'assaut — un château —un robot — un poireau — un réchaud — un javelot — le loto — un canot — un écriteau — un chapeau — le cacao — le métro — un sursaut — un bandeau — un pédalo — un poteau — un sabot —un héros — un kilo — du sirop

297 **Recopie ces phrases et complète avec les noms qui conviennent.** ★

cageot – météo – cadeau – préau – chameau – bureau – hublot

Quand il pleut, la récréation a lieu sous le … . — La directrice de l'école est dans son … . — Le passager assis près du … de l'avion regarde le paysage. — Les fruits sont rangés dans un … . — La … annonce-t-elle du beau temps ? — Monsieur Rivet offre un … à sa femme. — Le … peut rester plusieurs jours sans boire.

298 **Écris ces noms et ces articles au singulier. Entoure le son [o].** ★★

des anneaux → un ann(eau)

des seaux
des châteaux
des joyaux
des dominos
des boyaux
des corbeaux
des moineaux
des vélos
des agneaux

299 **Regroupe les deux mots de la même famille et entoure la lettre muette des noms de la première liste.** ★★

un lo(t) → la loterie

• le lot – le trot – un accroc – un sanglot – le galop – le dos – le flot – le repos – un pot – un abricot – un tricot
• la loterie – sangloter – se reposer – un dossier – trotter – la poterie – accrocher – galoper – flotter – tricoter – un abricotier

300 **Recopie ces expressions et complète les noms terminés par le son [o].** ★★★

remplir un s... d'eau
enfiler un maill...
planter un haric... vert
ouvrir le cap... de la voiture
déguster un morc... de gât...
parler au micr...
vider un tonn...
tirer le rid...

301 **Recopie ces phrases et complète les noms terminés par le son [o].** ★★★

Une fois cueilli, le coquelic... se fane vite. — Le nombre trente se termine par un zér.... — Je me lave les mains au lavab.... — On écrit au tabl... avec une craie. — Le mart... est le seul outil qui permette de planter les clous.

302 **Devinettes. Tous les noms se terminent par le son [o].** ★★★

Celui de la France est bleu, blanc et rouge. → un drap . . .
Pour écrire, il est à bille ou à plume. → un sty . .
Celui de la cerise est petit, mais ne l'avalez pas ! → un n . y . .
C'est un instrument de musique difficile à transporter. → un pi . n .

Vocabulaire à retenir

un bureau – un couteau – un drapeau
le lavabo – le micro – la radio
un tuyau – un noyau – un réchaud
un robot – le repos – un escargot – du sirop

Orthographe

Révisions : exercice 344 page 102

41e Leçon — Des lettres que l'on n'entend pas

Règle

À la fin de certains mots, on place des lettres qui ne se prononcent pas : ce sont des **lettres muettes**.

le nougat – un milliard – un colis – blond – fort – gras

Pour trouver la lettre muette qui termine le mot, on peut :

– former le **féminin** : un chat gris → une chatte grise

– chercher un **mot de la même famille** : le camp → le campeur

Il est toujours prudent de vérifier dans un dictionnaire en cas de doute.

303 **Recopie ces phrases et complète avec les mots qui conviennent. Souligne les lettres finales muettes.** ★

bras – pied – départ – fond – coup – tronc – gigot – chamois – dard – débarras – plat

Le … de la course vient d'être donné ; la voiture rouge est déjà en tête. — À la vue des promeneurs, le … escalade les rochers. — Le … d'agneau est servi sur un … en porcelaine. — Douglas a donné un … de … dans le ballon. — Le bûcheron scie le … d'un énorme chêne. — Il y a beaucoup d'objets inutiles dans le … au … du hangar. — La guêpe a planté son … dans le … de Sidonie qui a très mal.

304 **Lis ces noms à haute voix, recopie-les et entoure les lettres finales muettes.** ★

un autobus	un repas	le maïs	un fruit
un talus	un cactus	un palais	un tournevis
le trac	un accroc	un robot	un échec
un outil	le paradis	un ours	un habit
un pont	le sang	un accent	un déclic

305 **Recopie ces phrases et complète avec des mots de la même famille que les mots entre parenthèses.** ★★

D'un … (bondir), le cheval franchit la rivière. — À la chorale, nous répétons un … (chanter) de Noël. — Séverine prend un … (grosse) morceau de gâteau. — Joris choisit un plat de saucisses au … (des lardons). — Estelle apprécie le … (confortable) de ce fauteuil.

306 **Écris les noms terminés par une lettre muette de la même famille que ces mots.** ★★

un dentiste → une dent

refuser → un …	mépriser → le …	réciter → un …
proposer → un …	la laiterie → le …	boisé → le …
la bordure → le …	le quartier → un …	la rangée → le …

307 **Recopie ces phrases et complète avec des noms de la même famille que les mots entre parenthèses.** ★★

Le car a du … (retarder) ; les voyageurs attendront. — Dès le … (débuter) du film, j'ai su qu'il me plairait. — Après sa longue course, Myriam prend un moment de … (reposer). — Dans le … (déserter), il ne faut pas oublier d'emporter une réserve d'eau. — Coline a rencontré Noémie par … (hasarder).

308 **Écris les adjectifs qualificatifs au masculin ; ils se terminent par une lettre muette.** ★★

porter une lourde sacoche → porter un lourd colis

faire une courte pause → rester un … instant
admirer une ouvrière adroite → admirer un ouvrier …
donner une réponse précise → donner un renseignement …
marcher dans une terre grasse → marcher sur un sol …

309 **Complète ces noms avec une lettre muette. Tu peux utiliser un dictionnaire.** ★★★

le lila…	un absen…	une souri…	un renar…
le parcour…	un ban…	un étan…	un anana…
un compa…	un comba…	le marai…	le cimen…

Vocabulaire à retenir

un lit – le bois – un outil – une croix – le prix – le galop – le trot – le début – le sport – un banc mort – fort – blanc – droit – gros

Orthographe

 Révisions : exercices 345 et 346 page 102

42e Leçon — Des mots qui se ressemblent

RÈGLE

Certains mots se prononcent de la même manière, mais ils n'ont pas le même sens et s'écrivent différemment : ce sont des **homonymes**.

Le maître d'école corrige les cahiers.
S'il fait froid, il faut mettre un manteau.
Cette table mesure un mètre de long.

Pour trouver la bonne orthographe, il faut **s'aider du sens** de la phrase.

Parfois les homonymes se prononcent et s'écrivent de la même manière.

Il livre une pizza. Le livre d'histoire est sur la table.

310 Recopie et souligne dans chaque phrase les deux mots qui se prononcent de la même façon. ★

Je ne vois qu'une dent dans la mâchoire de cette sorcière. — Cathy joue à la balle et Souad va aller au bal. — Après avoir scié le bois monsieur Henry boit un verre d'eau. — Que faire de cette petite boîte en fer ? — Le père de Cindy porte une paire de bottes. — Je ne sais pas quel est le poids de cette boîte de petits pois.

311 Recopie ces phrases et complète avec l'article qui convient : le ou la. ★

… mousse est le plus jeune matelot d'un navire.
Vanessa mange de … mousse au chocolat.

J'ai déchiré … manche de mon chemisier.
Le jardinier a cassé … manche de son râteau.

Allons faire … tour du quartier.
Nous visitons … tour Eiffel.

312 **Recopie ces phrases ou ces expressions et complète avec le, la ou ils.** ★★

... salent leur soupe.
... cour de récréation
... louent des pédalos.
... fond du puits
... loup sort du bois.
... salle de bains
... courent pour me rattraper.
... font des pirouettes.

313 **Recopie ces phrases et complète avec les mots qui conviennent.** ★★

(mer – mère)
La ... de Maud va chez le coiffeur. — As-tu le mal de ... ?

(pot – peau)
J'arrose un ... de fleurs. — Le serpent change de ... .

(tante – tente)
Le campeur plante sa ... . — La ... de Karine habite à Nice.

314 **Recopie ces expressions et complète avec un homonyme du mot en gras. Aide-toi d'un dictionnaire.** ★★★

le **chant** du rossignol → un champ de blé

s'abriter sous un **chêne** → porter une ... en or
le pelage **roux** de l'écureuil → sortir la ... de secours
manger une **datte** sucrée → lire la ... sur le calendrier
le long **cou** du héron → prendre un ... de soleil
cueillir des **mûres** → construire un ... de pierre
un **cygne** blanc → faire un ... de tête

315 **Recopie ces phrases et complète avec un homonyme du verbe en gras. Aide-toi d'un dictionnaire.** ★★★

Vous **faites** la cuisine. → C'est la ... de fin d'année.
On ne **voit** rien dans le tunnel. → Ne traverse pas la ... ferrée.
Ce bouquet de fleurs **sent** bon. → L'infirmière fait une prise de ... .
Laura **boit** de l'eau minérale. → Le loup se cache au fond du ... .
Elliot **prit** une salade de fruits. → Je ne connais pas le ... de ce jeu.

Vocabulaire à retenir

un **poids** de deux kilos – une jupe à **pois**
un plat de **pâtes** – les **pattes** du chien
un **doigt** de la main – Il **doit** venir.
la **fin** du film – avoir **faim**

Révisions : exercice 347 page 102

43e Leçon — Des mots invariables

Règle

Dans une phrase, certains mots ne s'accordent jamais. Ils sont **invariables**.

Mon ami est venu hier.	Mes amis sont venus hier.
Le vélo est contre l'arbre.	Les vélos sont contre les arbres.

Comme ils sont très souvent utilisés, il faut retenir leur orthographe par cœur. (Voir la liste des mots invariables, page 137.)

316 Recopie chaque couple de phrases et entoure les mots qui sont restés invariables. ★

La voiture est arrêtée devant la porte.
Les voitures sont arrêtées devant les portes.

Je goûterai aussi la tarte à la fraise.
Nous goûterons aussi les tartes aux fraises.

Ce caillou roule comme une balle.
Ces cailloux roulent comme des balles.

La jolie mésange chante parfois.
Les jolies mésanges chantent parfois.

Joue avec l'ordinateur, mais reste calme !
Jouez avec les ordinateurs, mais restez calmes !

317 Recopie ces phrases et complète avec le seul mot invariable qui convient. ★

(maintenant – sur – dehors)	On a collé une affiche … le mur.
(trop – souvent – malgré)	Madame Grand est sortie … la pluie.
(chez – ici – déjà)	Cécilia va … le boulanger.
(pendant – assez – bientôt)	Nous jouerons … la récréation.
(entre – ailleurs – sous)	Vous rangerez votre cartable … .

318 **Recopie ces phrases et complète avec le seul mot invariable qui convient.** ★

(par – durant – debout) Les spectateurs sont restés … .
(toujours – suivant – dans) Mes parents ont … habité à Paris.
(sur – pendant – totalement) L'orage a … ravagé les récoltes.
(pour – lorsque – déjà) Quelle surprise ! Lucie est … là !
(très – depuis – autour) Il y a une barrière … du chantier.
(Demain – Autrefois – Puis) …, on voyageait en diligence.

319 **Recopie ces phrases et complète avec les mots invariables que tu formeras avec les lettres suivantes.** ★★

J M A I A S Il ne faut … commencer à fumer.
D P U E I S Je suis au cours élémentaire … la rentrée de septembre.
M E U I X Julie aime … les bananes que les oranges.
A E S S Z Ne plonge pas d'ici : il n'y a pas … d'eau.

320 **Recopie les phrases et remplace les mots invariables en gras par leur contraire.** ★★★

tôt – sans – dehors – plus – avant – derrière – sur

Les élèves du CE1 entrent en classe **devant** ceux du CP. — À la fin de la journée, vous placez les chaises **sous** les bureaux. — Le concert se termine plus **tard** que prévu. — Grand-père peut lire le journal **avec** ses lunettes. — Liliane est **moins** grande que son frère. — Tu iras jouer, mais **après** tu feras tes devoirs. — Mon chat Grisou a passé toute la nuit **dedans**.

321 **Recopie ces phrases et remplace les mots en gras par les mots invariables qui conviennent.** ★★★

Parfois – encore – bientôt – beaucoup – vite

Ce matin, il a plu **en grande quantité**. — **À certains moments**, le train est en retard. — Répondez **en vous dépêchant** aux questions ! — Le prix des vêtements a **de nouveau** augmenté. — Un supermarché ouvrira **prochainement** près de chez nous.

Vocabulaire à retenir

mais – avec – pour – sur – même – autour – plus – moins – dans – entre
après – avant – depuis – jamais – toujours – devant – derrière – comme

Orthographe

Révisions : exercice 348 page 102

322 Recopie ces mots, entoure les voyelles et souligne les consonnes.

vendredi	immeuble	train	savant
film	dragée	branche	balcon
violent	grimace	toujours	eau

Voir leçon 20

323 Recopie ces phrases et indique le nombre de mots qu'elles contiennent.

Tu places les fourchettes et les couteaux à côté des assiettes.
→ … mots
Les tours du quartier Mozart font toutes plus de vingt étages.
→ … mots
Demain soir, les habitants du quartier organiseront une grande fête.
→ … mots

Voir leçon 21

324 Réécris ces mots dont les syllabes sont dans le désordre.

ni – a – mal	pru – dent – im	trô – ler – con
tai – fon – ne	gé – phie – gra – o	me – hom
ge – char – ment	plé – com – ter	

Voir leçon 21

325 Écris chaque liste de mots dans l'ordre alphabétique.

diriger – dictée – directeur – discours – diable – diviser
compliquer – comprendre – commun – compagnon – commerce
applaudir – apparaître – apercevoir – appuyer – apporter
filer – fil – filet – filature – fille – filleul – fillette

Voir leçon 22

326 Recopie ces phrases et complète les mots avec b ou p.

Le …aque…ot rentre au …ort. — Tu ouvres une …oîte de …etits …ois. — Le ro…ot o…éit à une sim…le …ression sur le …outon rouge. — Tu …rends un ta…ouret …our atteindre le haut du …uffet.

Voir leçon 23

327 Recopie ces phrases et complète les mots avec d ou t.

Léontine cul…ive des orchi…ées. — Antoine regar…e le niveau d'huile du mo…eur. — Le gui…e …irige la cor…ée d'alpinis…es. — Ces élèves res…ent à l'é…u…e. — Pour res…er en bonne san…é, il faut limi…er les sucreries. Voir leçon 24

328 Recopie ces phrases et complète les mots avec l'écriture du son [z] qui convient.

Ton vi…age bron…é fait plai…ir à voir. — Mélanie choi…it une vali…e à roulettes. — Les oi…eaux ga…ouillent. — Il reste une di…aine de frai…es à manger. — Un tré…or est caché sur l'île dé…erte. — Quel est cet objet bi…arre de couleur gri…e ? Voir leçon 25

329 Recopie ces phrases et complète les mots avec l'écriture du son [s] qui convient.

Cathy lan…e la balle et nous nous dépla…ons pour l'attraper. — Arnold est ble…é ; il a un pan…ement au pou…e. — Le pêcheur pla…e un a…ticot au bout de son hame…on. — Nous commen…ons l'exer…i…e. — J'e…aie des chau…ures de …port. Voir leçon 25

330 Recopie ces phrases et complète les mots avec m ou n.

Le conducteur du ca…ion est gê…é par la pluie. — On …e récolte pas de ba…a…es dans …os régions. — Le pia…o est un instru…ent de …usique difficile à dé…é…ager. Voir leçon 26

331 Recopie ces phrases et complète les mots avec f ou v.

As-tu déjà …ait les …endanges ? — Le sa…on est tombé au …ond de la baignoire. — Tu as bien …isé et tu as mis la …lèche dans le mille ! — Ce chanteur a une …oix gra…e. Voir leçon 27

332 Recopie ces phrases et complète avec les mots qui conviennent.

(chêne – gêne)

Cette voiture … la circulation. — Le bois de … est très résistant.

(bouchons – bougeons)

Les … sont en liège. — Pour nous dégourdir, nous … les jambes.

(cache – cage)

Le chat se … sous le lit. — Les lions sont en … . Voir leçon 28

Orthographe

333 **Recopie ces phrases et complète les mots avec g ou gu.**

J'aime bien les merin...es que fait ma ...rand-mère. — Le ...épard poursuit la ...azelle. — Mets un peu de sucre sur tes ...aufres. — Comme il ne pleut pas, il faut irri...er les champs. — Le carré a quatre an...les droits et quatre côtés é...aux. Voir leçon 29

334 **Recopie ces phrases et complète les mots avec c, qu ou k.**

As-tu entendu le ...ra...ement du par...et dans le ...ouloir ? — ...ombien man...e-t-il de ...ubes dans la boîte ? — Pour le ...arnaval, je porterai un mas...e. — Les s...ieurs font la ...eue au pied de la télécabine. — Je ...ro...e un bis...uit. Voir leçon 30

335 **Devinettes. Dans tous les noms à trouver, il y a un accent.**

Il faut la donner quand on pose une question. → la r . p . . s e
Il essaie d'attraper des poissons. → le p . ch . u r
Il y en a de nombreux à la fête foraine. → les man . g . s
Le deuxième mois de l'année. → f . vr . . . Voir leçon 31

336 **Écris les noms féminins qui correspondent à ces adjectifs qualificatifs.**

solide → la solidité

propre fragile timide rapide bon
sale beau brutal pauvre Voir leçon 32

337 **Recopie ces mots en lettres minuscules et place les accents oubliés.**

L'ELECTRICITE UN MYSTERE UNE ETAGERE
LA TERRASSE UNE PIECE DESCENDRE Voir leçon 33

338 **Recopie ces phrases et complète les mots dans lesquels tu entends (ou) et (u).**

La lait...e est une salade craquante. — Le facteur distrib...e le c...rrier. — Dans la fable, le renard est pl...s r...sé que le corbeau. — À la v...e du serpent, Frida se sauve. — Tu ramasses la p...ssière avec l'aspirateur. — P...rquoi papa a-t-il rasé sa m...stache ? — Le verbe s'accorde t...j...rs avec son s...jet. Voir leçon 34

339 Recopie ces phrases et complète avec les mots qui conviennent.

(dans – dent)
Jérôme a perdu une ... de lait. — Mes baskets sont ... mon sac.
(rangs – rends)
Les élèves se mettent en ... . — Je te ... le livre que tu m'avais prêté.
(sang – cent)
Le blessé perd du ... . — J'ai nagé pendant ... mètres. Voir leçon 35

340 Recopie ces phrases et complète avec une écriture du son [ɛ̃].

J'ai bu un pl... verre de lait. — Le lap... dévore les carottes. — Dans la classe, nous sommes v...gt-c...q élèves. — Le magas... de chaussures est ouvert le samedi. — Mon oncle revi...t d'un voyage au Maroc. — Samuel écrit de la m... gauche. — Lauriane a choisi une c...ture dorée. — Tu as enf... terminé ton exercice. Voir leçon 36

341 Recopie et complète ces mots avec ion ou oin.

le bes...	un tém...	un cam...	un av...
la rég...	le s...	un fan...	une act...
un p...t	c...cer	l...tain	un rec...

Voir leçon 37

342 Recopie et complète ces phrases comme dans l'exemple.

Mettre un poulet sur une broche, c'est l'**embrocher**.

Mettre un trésor en terre, c'est l'... .
Mettre un objet dans sa poche, c'est l'... .
Monter dans une barque, c'est ... .
Mettre une pizza dans un four, c'est l'... . Voir leçon 38

343 Recopie ces phrases et complète avec un mot de la même famille que le mot en gras.

La pomme est le fruit du **pommier**.

Pour **gommer**, on utilise une ... .
La **cane** est la femelle du ... .
Pour **sonner**, on appuie sur la ... .
Avaler de la **nourriture**, c'est se ... .
Couronner, c'est mettre une ... .
Une **bottine** est une petite ... .
La **prune** est le fruit du ... .

Voir leçon 39

Orthographe

344 **Recopie ces phrases et complète les noms terminés par le son [o]. Aide-toi d'un dictionnaire.**

Il y a des truites dans ce ruiss... . — Le lionc... ne quitte pas sa mère. — Pour piloter une mot..., il faut porter un casque. — Pour prendre un chari..., il faut mettre une pièce de un eur... . — On fait fonctionner le rob... avec la télécommande. Voir leçon 40

345 **Écris ces adjectifs qualificatifs au masculin comme dans l'exemple. Ils se terminent par une lettre muette.**

Cette salle est bruyante. → Ce local est bruyant.

La phrase est traduite en français. → Le texte est ... .
La lumière est éteinte dans le salon. → Le lustre est ... .
La date est inscrite au tableau. → Le titre est ... .
Sandrine est satisfaite de son résultat. → Farid est ... . Voir leçon 41

346 **Recopie ces phrases et complète les noms terminés par le son [i]. Attention, certains ont une lettre muette.**

Le frère de Carlos a passé son perm... de conduire. — Armand secoue le tap... de son salon. — Quel est le pr... de cette boîte de jeux ? — En classe de neige, nous avons fait du sk... . — Le chasseur range son fus... . — Les Chinois mangent souvent du r... . Voir leçon 41

347 **Recopie ces phrases et complète avec un homonyme du mot entre parenthèses. Aide-toi d'un dictionnaire.**

Bénédicte se verse un ... (vert) de ... (laid). — Le ... (le seau) du kangourou est impressionnant. — Quand on a une petite ... (la fin), on mange un fruit. — Le traîneau du Père Noël est tiré par des ... (la reine). — Blanche-Neige est un ... (un compte) de fées. — Le chant du ... (la coque) réveille les habitants. Voir leçon 42

348 **Recopie ces phrases et complète avec les mots invariables qui conviennent.**

devant – autant – longtemps – demain – pendant – beaucoup

Notre classe compte ... de filles que de garçons. — ... que tu ranges tes livres, je termine mon travail. — Pour Noël, il y a ... de monde ... le rayon des jouets. — Les pompiers n'ont pas mis ... pour éteindre l'incendie. — Nous sommes lundi, ... ce sera mardi. Voir leçon 43

Conjugaison

Les verbes : infinitif, radical et terminaisons

Pour réussir un soufflé, on le place dans un four et on le laisse cuire à feu doux.

Règle

Le verbe est un mot qui peut prendre de nombreuses formes. Il est composé de deux parties : le **radical** et la **terminaison**.

chant-er   je chant-e   tu chanter-as   nous chant-ions

Lorsqu'il n'est pas conjugué, le verbe est à l'**infinitif**. Les verbes du **1er groupe** se terminent en **-er** à l'infinitif.

parler – manger – rouler – respirer – chercher

Lorsque le verbe est **conjugué**, la terminaison change et, pour certains verbes, le radical également.

venir : je viens – vous venez – tu viendras – ils viennent
aller : il va – nous allons – j'irai – ils vont

Deux verbes sont particuliers : **être** et **avoir**. Ils peuvent être employés seuls ou aider à la conjugaison des autres verbes ; dans ce cas, on les appelle **verbes auxiliaires**.

J'ai un nouveau survêtement.   Tu as trouvé une clé.
Heidi est dans sa chambre.   Ils sont arrivés à l'école.

349 Recopie ces verbes et sépare le radical de la terminaison. ★

nourrir → nourr-ir

respirer   surgir   tricoter   choisir   vérifier
remplir   déplacer   éblouir   remarquer   éclater

350 Recopie ces verbes et complète la terminaison de leur infinitif. ★

répét...   ralent...   ten...   limit...   recul...
noirc...   défend...   jou...   fin...   agrand...

351 **Recopie ces phrases et entoure les verbes.** ★★

Delphine tire les rideaux de sa chambre. — Le candidat cherche la bonne réponse. — Cette robe blanche plaît à Stéphanie. — Monsieur Bouvard range ses provisions dans un placard. — Nous rions devant les pirouettes des clowns. — Le berger tond ses moutons. — Vous dites toujours la vérité à vos parents.

352 **Recopie ces phrases, entoure les verbes et donne leur infinitif.** ★★

Tu (allumes) l'ordinateur. → allumer

Les élèves participent aux répétitions de la chorale. — Les spectateurs manifestent leur joie à la fin de la représentation. — Je quitte la salle sur la pointe des pieds. — En Angleterre, les voitures roulent à gauche. — Un peu d'huile facilite le fonctionnement du moteur. — Dans ce champ, on récolte des tomates et des aubergines.

353 **Recopie ces phrases et donne l'infinitif des verbes conjugués.** ★★★

vouloir – voir – prendre – recouvrir – recevoir

La neige recouvre le toit de la maison. — Nous prenons l'autobus tous les matins. — Je veux encore une part de ce savoureux gâteau. — Charline reçoit un message sur son portable. — Vous voyez des canards au bord de la rivière.

354 **Recopie ces phrases et complète avec les verbes qui conviennent.** ★★★

avale – visitent – a – nettoie – gronde – réfléchis – gagne – tond

Le tonnerre ... dans le lointain. — Tu ... avant de prendre une décision. — Mon voisin ... sa pelouse. — Rachel n'... pas les noyaux de cerises. — Ce joueur ... le gros lot ; il ... de la chance. — Les touristes ... le château de Cormatin. — Le peintre ... ses pinceaux.

355 **Remets ces mots dans l'ordre pour former des phrases et entoure les verbes.** ★★★

Lionel – un – de – boit – verre – lait.
Nous – notre – sur – étalons – serviette – la – plage.
Maman – un – fleurs – de – pose – vase – sur – table. – la

Révisions : exercice 445 page 132

45e Leçon — Les temps, Les personnes

Hier, nous avons pris des photos. Aujourd'hui, nous affichons les plus réussies. Demain, nous composerons un album.

Règle

La terminaison d'un verbe varie avec le **temps**, c'est-à-dire le moment où se produit l'action :

le passé → hier, il y a longtemps, autrefois : Il a neigé.
le présent → aujourd'hui, maintenant, en ce moment : Il neige.
le futur → demain, plus tard, dans une heure : Il neigera.

La terminaison varie aussi selon la **personne** qui fait l'action.

singulier → 3 personnes : je – tu – il (elle/on/un nom sujet)
pluriel → 3 personnes : nous – vous – ils (elles/un nom sujet)

356 Recopie ces phrases et indique le temps des verbes en gras (passé – présent – futur). ★

Le chat **miaule** pour avoir des croquettes. → présent

Le linge **sèchera** au soleil. — J'**ai utilisé** des feutres pour dessiner. — Cette gravure **représente** la baie du Mont-Saint-Michel. — Tu **avais** un gros rhume et tu **toussais**. — Dans vingt ans, une fusée se **posera** peut-être sur Mars.

357 Recopie ces phrases et indique la personne des verbes en gras. ★

J'**écoute** les conseils de mes parents. → 1re personne du singulier

Tu **pousses** ton chariot dans les allées du supermarché. — Arthur **imite** le cri de la chouette. — Sous le choc, vous **grimacez** de douleur. — Nos voisins **déménageront** la semaine prochaine. — J'**apprécie** toujours les compliments. — Nous **plaçons** les jetons sur les cases noires. — Tu **prends** une louche pour servir le potage.

358 **Recopie ces phrases et remplace les groupes sujets par il ou elle, ils ou elles.** ★★

La méchante reine empoisonne Blanche-Neige. — Le chien aboie devant sa niche. — Les employés de la poste tamponnent les lettres. — Les portes de la salle s'ouvrent sur l'extérieur. — Les émissions ne commencent qu'à dix heures. — Les pompiers déroulent leurs tuyaux.

359 **Recopie ces phrases et remplace les pronoms personnels sujets par les noms qui conviennent.** ★★

Les cheminées – La guêpe – Le dompteur – Les étoiles – Les skieurs – La conductrice – Le bateau – Les oiseaux

Elles fument tout l'hiver. — Il s'éloigne du port. — Ils dévalent la piste bleue. — Elle ralentit à l'entrée du village. — Elle bourdonne autour du pot de confiture. — Il dresse les tigres et les lions. — Elles brillent dans le ciel. — Ils couvent leurs œufs dans leur nid.

360 **Recopie ces phrases et complète avec Hier, Aujourd'hui ou Demain.** ★★

…, nous couvrirons nos livres. — …, le vent a soufflé en rafales. — …, tout le monde possède un téléphone portable. — …, la bibliothèque est restée fermée toute la journée. — …, vous changerez de place. — …, plus personne ne croit aux fantômes.

361 **Recopie ces phrases et complète avec autrefois, maintenant ou plus tard.** ★★

…, les paysans ne possédaient pas de tracteurs. — …, tu es capable de nager cent mètres. — Nous rangerons nos affaires … . — …, peu de personnes savaient lire. — Justine terminera son jeu de mots fléchés … . — Le coureur belge distance … tous ses adversaires.

362 **Recopie ces phrases et complète avec les expressions qui conviennent.** ★★

En 2100 – Jadis – À huit heures – Fin janvier – Tous les soirs

…, maman accompagne ses enfants à l'école. — …, je lis quelques pages de mon livre avant de m'endormir. — …, les hommes habiteront peut-être sur la Lune. — …, la maîtresse nous emmènera en classe de neige. — …, les seigneurs vivaient dans de solides châteaux forts.

Révisions : exercice 446 page 132

46e Leçon — Le présent de l'indicatif : être et avoir

Cet enfant est heureux, car ses parents ont un cadeau pour lui.

RÈGLE

Les formes des verbes **être** et **avoir** au présent sont très souvent utilisées ; il faut les retenir parfaitement.

être	avoir
Je suis dans le couloir.	J'ai soif.
Tu es dans le couloir.	Tu as soif.
Elle est dans le couloir.	Elle a soif.
Nous sommes dans le couloir.	Nous avons soif.
Vous êtes dans le couloir.	Vous avez soif.
Ils sont dans le couloir.	Ils ont soif.

Pour ne pas confondre les formes des 2e et 3e personnes du singulier qui ont la même prononciation, il faut toujours rechercher le sujet.

363 Recopie ces phrases, entoure les formes du verbe être et complète avec les sujets qui conviennent. ★

Je – Vous – Cette histoire incroyable – Tu – Nous – Les marins

… êtes près des panneaux indicateurs. — … sommes en attente des résultats du tirage du Loto. — … est pourtant vraie. — … es devant ton écran d'ordinateur. — … suis en équilibre sur ma trottinette. — … sont sur le pont du navire.

364 Recopie ces phrases, entoure les formes du verbe avoir et complète avec les sujets qui conviennent. ★

Nous – J' – il – Vous – Le conducteur – Les écrivains

… ont beaucoup d'imagination. — … avez des fourmis dans les jambes. — … a le soleil dans les yeux ; heureusement qu'… a des lunettes de soleil. — … ai le temps de m'occuper de mon hamster. — … avons l'accord du professeur pour organiser une partie de ballon.

365 Recopie ces phrases et complète avec ces formes du verbe être au présent. ★★

suis – es – est – sommes – êtes – sont

Tu … sur les manèges de la fête foraine. — Nous … au cirque pour une représentation exceptionnelle. — Le requin … dans un aquarium géant. — Je … devant le portail de l'école maternelle. — Tous les stylos … dans ma trousse. — Ce matin, vous … en avance.

366 Recopie ces phrases et complète avec ces formes du verbe avoir au présent. ★★

ai – as – a – avons – avez – ont

Tu … un anorak fourré et des gants en cuir. — Nous … les pieds nus dans nos sandalettes. — Les lions … une épaisse crinière. — J'… besoin de me laver les mains. — Vous … des bagages bien trop lourds. — Ce camion … d'énormes pneus et une longue remorque.

367 Recopie ces phrases et complète avec le verbe être au présent. ★★★

Après les pluies, les rivières … en crue. — Angelo … le roi de la pizza italienne. — Nous … sur le trottoir de la rue des Pervenches. — Tu … chez toi. — Pourquoi …-vous de mauvaise humeur ? — Je … en tenue de sport pour jouer au football.

368 Recopie ces phrases et complète avec le verbe avoir au présent. ★★★

L'éléphant d'Afrique … de plus grandes oreilles que celui d'Asie. — Nous … le fou rire en regardant ce film comique. — Quand j'… peur, j'… des frissons le long des bras. — Vous … une place gratuite pour la prochaine séance. — Tu … un pansement sur la cheville gauche.

369 Recopie ces phrases et complète avec les verbes être ou avoir au présent. ★★★

Tu … au tableau et tu … interrogé par la maîtresse. — Je … sans réaction devant ce problème : il … trop difficile. — Le présentateur de télévision … la parole facile. — Pour une fois, vous … de notre avis. — Nous … des images représentant des animaux sauvages. — Les coureurs cyclistes … des bidons sur leur vélo.

Révisions : exercice 447 page 132

47e Leçon — Le présent de l'indicatif : verbes du 1er groupe

Le vendeur présente plusieurs jeux, mais tu hésites.

RÈGLE

Au présent de l'indicatif, tous les verbes terminés par **-er** à l'infinitif, appelés « verbes du 1er groupe », ont **les mêmes terminaisons**.

Je ferme les fenêtres et je tire les rideaux.
Tu fermes les fenêtres et tu tires les rideaux.
Elle ferme les fenêtres et elle tire les rideaux.
Nous fermons les fenêtres et nous tirons les rideaux.
Vous fermez les fenêtres et vous tirez les rideaux.
Ils ferment les fenêtres et ils tirent les rideaux.

Pour ne pas confondre les terminaisons qui se prononcent de la même manière, il faut toujours chercher le sujet du verbe.

370 Recopie ces phrases, souligne les verbes conjugués au présent et écris leur infinitif. ★

Tu ne touches pas le fil électrique. → toucher

Nous cherchons la solution du problème. – Vous regardez un dessin animé. — Je joue avec ma console. — Le camion tourne à gauche. — Les piétons marchent sur le trottoir. — Margot ajoute du sucre à sa compote de pommes. — Tu utilises une règle.

371 Recopie ces phrases et complète avec les verbes qui conviennent. ★

mangeons – compare – plongent – fume – gagne – marques – rentrez

Le feu de cheminée ... encore. — Tu ... un but et ton équipe ... la partie. — Nous ... nos yaourts avec une petite cuillère. — Vous ... chez vous pour faire vos devoirs. — Les baleines ... au plus profond des mers. — Je ... les prix de ces deux boîtes de crayons de couleur.

372 **Recopie ces phrases et complète avec les terminaisons du présent qui conviennent.** ★★

Vous travers… la rue quand le feu est vert. — À la kermesse, nous pêch… à la ligne de petits cadeaux. — Le chat se lèch… la patte. — Tu parl… à ton voisin. — En partant, je ferm… la porte à clé. — Les zèbres se sauv… quand la lionne s'approch… .

373 **Recopie ces phrases et écris les verbes entre parenthèses au présent.** ★★

Pourquoi (murmurer)-tu entre tes dents ? — Je (couper) mon bifteck tout seul. — Vous ne (crier) jamais. — Cette machine (laver) le linge en peu de temps. — Vous vous (lever) quand le directeur (entrer) dans votre classe. — À midi, les cloches (sonner).

374 **Recopie ces phrases et écris les verbes entre parenthèses au présent.** ★★

Le maître (désigner) Arnaud pour effacer le tableau. — Nous (former) une grande ronde. — Tu (vider) tes poches. — Les jardiniers (planter) des géraniums. — Ce matin, il (neiger) à gros flocons. — Je (nager) même là où je n'(avoir) pas pied. — Vous (fermer) le robinet, car l'eau (couler) pour rien depuis cinq minutes.

375 **Recopie ces phrases et remplace les sujets en gras par ceux entre parenthèses.** ★★★

Je (Vous) travaille avant d'aller jouer. — **Le vent** (Les rafales) brise les branches. — **Vous** (Maman) chantez une berceuse. — **Tu** (Dimitri) écoutes de la musique. — **Les chevaux** (Nous) sautent la barrière sans la toucher. — **Nous** (Je) colorons les carrés en rouge.

376 **Recopie ces phrases et complète avec les verbes suivants écrits au présent.** ★★★

trouver – monter – fabriquer – ronger – adorer

Sylvain … sur un escabeau pour décrocher le lustre. — Dans cette usine, on … des meubles de salle de bains. — J'… les desserts au chocolat. — Les souris … un morceau de gruyère. — Nous ne … pas de chaussures à notre pointure.

Révisions : exercice 448 page 132

48e Leçon — Le présent de l'indicatif : faire

Comme il fait froid, vous faites un feu pour vous réchauffer.

Règle

Le verbe **faire** a une conjugaison particulière au présent de l'indicatif. Son radical change pour les personnes du pluriel.

Je fais un détour.	Nous faisons un détour.
Tu fais un détour.	Vous faites un détour.
Elle fait un détour.	Ils font un détour.

377 Recopie ces phrases et complète avec les sujets qui conviennent. ★

Le cheval – Nous – Je – les musiciens – Vous – Tu

… faisons des cocottes en papier. — … fais des efforts pour porter mon sac. — … fait des cabrioles devant les enfants admiratifs. — … fais des signes à tes camarades. — … n'en faites qu'à votre tête. — Lorsqu'ils répètent, … font un peu de bruit.

378 Recopie ces phrases et complète avec le verbe faire au présent. ★★

Ce savon … beaucoup de mousse. — Avant l'hiver, les écureuils … des provisions de noisettes. — Tu … souvent le malin devant tes cousins. — Nous … de notre mieux pour décorer la classe. — Je … la vaisselle pour aider mes parents. — Que …-vous mercredi après-midi ? — Les acrobates … des sauts périlleux. — Je … de la place sur le bureau. — Tu … le tour du quartier pour trouver une boulangerie.

379 Conjugue les verbes en gras de ces expressions à toutes les personnes du présent. ★★★

faire des roulades
refaire le trajet à l'envers
ne pas **faire** d'erreurs
défaire les nœuds

Révisions : exercice 449 page 133

Le présent de l'indicatif : aller

Je vais baisser le gaz, sinon la casserole de lait va déborder.

RÈGLE

Le verbe **aller** a une conjugaison particulière au présent de l'indicatif.

Je vais chez le coiffeur.
Tu vas chez le coiffeur.
Elle va chez le coiffeur.
Nous allons chez le coiffeur.
Vous allez chez le coiffeur.
Ils vont chez le coiffeur.

380 Recopie ces phrases et complète avec le verbe aller au présent. ★

Les coureurs … à vive allure dans la descente. — Dans la savane, l'éléphant … où il veut. — Tu … moins vite parce que tu marches doucement. — Comme il pleut, nous … sous un abri. — Impatient, je … de la cuisine au salon. — Vous … inscrire votre nom en haut de la feuille blanche.

381 Recopie ces phrases et remplace les sujets en gras par ceux entre parenthèses. Attention aux accords ! ★★

Je vais à l'école de musique tous les mercredis.
(Beaucoup d'enfants de mon quartier – Ma cousine Chenouda)
Vous allez ranger le matériel de peinture.
(Les élèves de service – Nous)
Tu vas prendre l'ascenseur.
(Camille – Vous)

382 Conjugue les verbes en gras de ces expressions à toutes les personnes du présent. ★★★

aller jusqu'à la rivière
aller au parc d'attractions
aller de mieux en mieux
aller sous le préau

Conjugaison

Révisions : exercice 450 page 133

50e Leçon — Le présent de l'indicatif : dire

Vous dites que vous avez beaucoup d'images dans votre album.

RÈGLE

Le verbe **dire** a une conjugaison particulière au présent de l'indicatif.

Je dis la vérité.
Tu dis la vérité.
Elle dit la vérité.
Nous disons la vérité.
Vous dites la vérité.
Ils disent la vérité.

383 Recopie ces phrases et complète avec les sujets qui conviennent. ★

Le professeur – Je – Les savants – Tu – Nous

… ne dis rien. As-tu perdu ta langue ? — … disons que cette émission n'était pas intéressante. — … dit du bien des élèves de sa classe. — … dis que ce problème est trop difficile pour moi. — … disent que le vent souffle de plus en plus fort.

384 Recopie ces phrases et complète avec le verbe dire au présent. ★★

Lilian … quelque chose à voix basse. — Tu … que Rudy nous attend à la sortie. — Quand vous bavardez trop, vous ne savez plus ce que vous … . — Tu nous … le contraire de ce que tu penses. — Je vous … que ma serviette n'est plus à sa place. — Nous te … au revoir. — Les ouvriers … qu'il fait très chaud dans l'atelier. — Vous … que le terrain de sport est inondé.

385 Conjugue les verbes en gras de ces expressions à toutes les personnes du présent. ★★★

dire au revoir à tout le monde
ne plus **dire** un mot
dire le titre du film de ce soir
redire toujours la même histoire

 Révisions : exercice 451 page 133

51e Leçon

Le présent de l'indicatif : venir

Elsa vient de se lever et elle déjeune.

Règle

Le verbe **venir** a une conjugaison particulière au présent de l'indicatif.

Je viens à l'école.
Tu viens à l'école.
Elle vient à l'école.
Nous venons à l'école.
Vous venez à l'école.
Ils viennent à l'école.

De nombreux verbes se conjuguent comme **venir** : revenir, devenir, provenir, parvenir, prévenir, se souvenir…

386 Recopie ces phrases et complète avec le verbe venir au présent. ★

Ces fromages … d'une ferme du Limousin. — Tu … de terminer un puzzle de cent morceaux. — Je … près de toi pour admirer ton dessin. — Nous … à la rencontre de nos correspondants. — Le chasse-neige … de dégager la chaussée. — Vous … nous apporter un colis.

387 Recopie ces phrases et remplace les sujets en gras par ceux entre parenthèses. Attention aux accords ! ★★

Je me souviens des années passées à l'école maternelle.
(Les élèves – Nous)
Enzo vient de vérifier les piles et il allume la torche.
(Tu – Vous)
Grâce à l'entraînement, **tu** deviens plus rapide.
(Je – Chloé)

388 Conjugue les verbes en gras de ces expressions à toutes les personnes du présent. ★★★

revenir de vacances
parvenir à atteindre la cible
prévenir les pompiers
intervenir dans la discussion

Conjugaison

Révisions : exercice 452 page 133

52e Leçon — Le futur de l'indicatif : être et avoir

Quand je serai au cinéma, j'espère que j'aurai une bonne place.

Règle

Au futur, les verbes **être** et **avoir** ont des formes particulières qui ne ressemblent pas à l'infinitif.

être	avoir
Je serai à l'heure.	J'aurai un maillot neuf.
Tu seras à l'heure.	Tu auras un maillot neuf.
Elle sera à l'heure.	Elle aura un maillot neuf.
Nous serons à l'heure.	Nous aurons des maillots neufs.
Vous serez à l'heure.	Vous aurez des maillots neufs.
Ils seront à l'heure.	Ils auront des maillots neufs.

Les terminaisons des 2e et 3e personnes du singulier se prononcent de la même manière : [ɑ], mais il y a un **s** à la 2e personne.

Les terminaisons des 1re et 3e personnes du pluriel se prononcent également de la même manière : [ɔ̃].

389 Recopie ces phrases et place un pronom personnel sujet devant les verbes. ★

… serons dans les tribunes.
… seront contents de se baigner.
… sera devant la vitrine avec sa sœur.
… seras devant ton miroir.
… auras bientôt tes neuf ans.
… aura des boucles d'oreilles.
… auront des bonbons au miel.
… aurons nos cheveux mouillés.

390 Recopie ces phrases, entoure les verbes et complète avec les sujets qui conviennent. ★

tu – Vous – Les vainqueurs – j' – nous – le chien

… n'aurez qu'une minute pour répondre à la question. — Avec ce bifteck, … aurai de quoi manger. — Quand … aurons onze ans, nous irons au collège. — Dans sa niche, … aura un abri pour la nuit. — Je pense que … auras beau temps. — … auront le sourire.

391 **Recopie ces phrases et complète avec ces formes du verbe être au futur.** ★★

serai – seras – sera – serons – serez – seront

Tout le quartier ... dans le brouillard. — Avec ce cadeau, vous ... contents. — Dans cent ans, ces maisons ... en ruine. — Samedi, nous ... au stade. — Pendant le cours de musique, je ... à côté de mon copain Sofiane. — Si tu ne te presses pas, tu ... le dernier.

392 **Recopie ces phrases et complète avec ces formes du verbe avoir au futur.** ★★

aurai – auras – aura – aurons – aurez – auront

Je suis sûre que vous ... confiance en moi. — Après une telle course, tu ... soif. — ...-nous la force de sourire ? — Pour terminer mon devoir, j'en ... pour dix minutes. — Au mois d'avril, les arbres ... des bourgeons. — Avec un bandeau sur l'œil, Paul ... l'air d'un pirate !

393 **Recopie ces phrases et complète avec le verbe être au futur.** ★★★

S'il fait beau, la récolte de pommes ... bonne. — ...-vous capables de réciter cette poésie ? — Si tu marches dans la boue, tes chaussures ... sales. — À la tombée de la nuit, je ... déjà couché. — Ces jeunes chanteurs ... bientôt célèbres.

394 **Recopie ces phrases et complète avec le verbe avoir au futur.** ★★★

Pour ouvrir le paquet, j'... besoin d'une paire de ciseaux. — Parce qu'il roulait vite, ce chauffard ... une amende. — ...-vous assez d'argent pour payer vos achats ? — Si tu réponds bien, tu ... une bonne note. — Ce n'est pas demain que les poules ... des dents !

395 **Recopie ces phrases et complète avec le verbe être ou le verbe avoir au futur.** ★★★

En Alsace, vous ... peut-être la chance de voir des cigognes. — Pour traverser, vous ... prudents. — Amandine ... bientôt un chaton pour lui tenir compagnie. — S'il continue à pleuvoir, les rues ... inondées. — À la rentrée, les élèves ... des livres neufs. — Tu ... attentive à ce que te dit ta maman.

Révisions : exercice 453 page 133

53e Leçon — Le futur de l'indicatif : verbes du 1er groupe

Quand le soleil brillera, nous en profiterons pour aller à la plage.

Règle

Au futur, les **terminaisons** s'ajoutent à l'**infinitif** pour les verbes du 1er groupe.

traverser

Je traverserai la rue.
Tu traverseras la rue.
Elle traversera la rue.
Nous traverserons la rue.
Vous traverserez la rue.
Ils traverseront la rue.

Même si on ne l'entend pas toujours, il ne faut pas oublier le **e**.

tu joueras – elle continuera – nous copierons – ils se méfieront

396 Recopie ces phrases et complète avec les verbes qui conviennent. ★

distribueront – disposerons – remerciera – piqueras – fermerez – surveillerai – trouveras

Vous ... bien les volets. — Je ... la cuisson du rôti. — Tu ... le résultat de l'opération. — Les élèves de service ... les cahiers du jour. — Nous ... les couverts sur la table. — Si tu ne portes pas de gants, tu te ... les doigts en cueillant des mûres. — Contente de son cadeau, Marjorie ... toutes ses amies.

397 Recopie ces phrases et complète avec les terminaisons du futur qui conviennent. ★

Le maire marier... ce jeune couple. — Tu penser... à éteindre la lumière. — Ces jongleurs étonner... le public. — Nous savourer... ces œufs à la neige. — Vous ne deviner... jamais ce qui nous est arrivé. — Les personnes qui attendent l'autobus s'abriter... sous l'auvent. — Je changer... les piles de mon jeu électronique.

398 **Recopie ces phrases et écris les verbes entre parenthèses au futur.** ★★

Si tu pars à dix heures, tu (arriver) à temps. — Je (retourner) la dernière carte. — Vous (chasser) les mouches avec votre main. — Nous (plier) les draps et les couvertures. — Les clients (profiter) des réductions pour faire leurs achats.

399 **Recopie ces phrases et écris les verbes en gras au futur.** ★★

Je ne **claque** pas la porte en sortant. — Tu **passes** devant la fontaine de l'Europe. — Le maître **attribue** une place à chaque élève. — Vous **remuez** la sauce pour ne pas brûler la casserole. — Nous **décorons** la classe avec des dessins. — Les déménageurs **chargent** leur camion.

400 **Recopie ces phrases et remplace les sujets en gras par ceux entre parenthèses. Attention aux accords !** ★★

Vous manifesterez votre joie en applaudissant.
(Tu – Les enfants – Le public)
Je ne tacherai pas mes vêtements.
(Nous – Les ouvriers – Vous)
Tu surveilleras la cuisson du poulet.
(La cuisinière – Vous – Je)

401 **Recopie ces phrases et écris les verbes en gras au futur.** ★★

Nous **déplaçons** les meubles du salon. — Tu **remplaces** tes protège-cahiers. — L'avion **transporte** des centaines de passagers. — Nous **corrigeons** nos erreurs au stylo vert. — Je **respire** l'air pur des montagnes. — Les marins pêcheurs **rapportent** beaucoup de poissons.

402 **Conjugue les verbes en gras de ces expressions à toutes les personnes du futur.** ★★★

gagner une récompense
détourner le regard
dessiner un paysage
voyager en TGV
verser du sirop dans les verres
demander un renseignement

 Révisions : exercice 454 page 133

54e Leçon — Le futur de l'indicatif : faire - aller - dire - venir

Quand tu reviendras de l'école, tu feras tes devoirs.

Règle

Au futur, les **terminaisons** des verbes **faire**, **aller**, **dire** et **venir** sont les mêmes que celles des verbes du 1er groupe mais le **radical** est **modifié**.

faire

Je ferai du sport.
Tu feras du sport.
Elle fera du sport.
Nous ferons du sport.
Vous ferez du sport.
Ils feront du sport.

aller

J'irai au marché.
Tu iras au marché.
Elle ira au marché.
Nous irons au marché.
Vous irez au marché.
Ils iront au marché.

dire

Je ne dirai rien.
Tu ne diras rien.
Elle ne dira rien.
Nous ne dirons rien.
Vous ne direz rien.
Ils ne diront rien.

venir

Je viendrai vite.
Tu viendras vite.
Elle viendra vite.
Nous viendrons vite.
Vous viendrez vite
Ils viendront vite.

403 Recopie ces phrases et complète avec des pronoms personnels sujets. ★

… viendras nous voir pour Pâques. — … iront chausser leurs patins à glace. — … ferez une petite sieste. — … nous direz si le parc d'attractions est ouvert le dimanche. — … fera le tour du stade en courant. — … dirons bonjour à nos grands-parents. — … irai chez le dentiste. — … viendrons te chercher à midi.

404 Conjugue les verbes en gras de ces expressions à toutes les personnes du futur. ★★

aller à toute allure
venir à la fête foraine
faire des crêpes
dire la vérité

405 **Recopie ces phrases et complète avec les verbes qui conviennent.** ★★

ferez – iras – dirons – reviendront – m'en irai – feront – viendra

Tu … essayer ta planche à roulettes. — Je … le dernier. — Nous ne … plus que la salle n'est pas assez chauffée. — Le plombier … réparer le lavabo. — Les beaux jours … dès le mois de juin. — Les enfants … des châteaux de sable. — Vous … un saut par-dessus le ruisseau.

406 **Recopie ces phrases et écris les verbes entre parenthèses au futur.** ★★

Plus tard, que (faire)-vous comme métier ? — Tu (dire) à Rémi que je l'attends près du pont. — Que (devenir) les ours des Pyrénées ? — J'(aller) remplir l'arrosoir. — Cette bague (faire) plaisir à Clémence. — Nous nous (souvenir) longtemps de notre visite à Chamonix.

407 **Recopie ces phrases et remplace le sujet en gras par ceux entre parenthèses. Attention aux accords !** ★★

Quand **tu** iras au cinéma, **tu** préviendras tes parents.
(Quand mes frères – Quand vous)
Je ne dirai rien et **je** ferai simplement quelques gestes.
(Les mimes – Nous)

408 **Recopie ces phrases et complète avec les verbes suivants que tu écriras au futur.** ★★★

aller – provenir – redire – refaire – convenir – intervenir – aller

Tu … les nœuds de tes lacets. — Nous … à pied jusqu'à la boucherie. — En hiver, les bananes … de la Guadeloupe. — S'il y a trop de bruit, j'… pour couper le son. — L'automne venu, les hirondelles s'en … dans les pays chauds. — Vous ne … pas deux fois la même chose. — Mon père … d'un rendez-vous avec le directeur de l'école.

409 **Recopie ces phrases et écris les verbes en gras au futur.** ★★★

Les gendarmes **font** des signes pour que les voitures ralentissent. — Tu **viens** effacer le tableau. — Je ne **dis** pas que le plat est trop salé. — Nous **allons** regarder les marmottes. — Les pirates **vont** cacher leur trésor. — Tristan **fait** tout pour que tu sois content.

Révisions : exercice 455 page 133

55e Leçon — Le passé composé de l'indicatif : être et avoir

Le bateau a été secoué et les passagers ont eu le mal de mer.

RÈGLE

Le passé composé des verbes **être** et **avoir** se forme avec l'**auxiliaire avoir** conjugué **au présent**, suivi du **participe passé**.

être	avoir
J'ai été malade.	J'ai eu la grippe.
Tu as été malade.	Tu as eu la grippe.
Elle a été malade.	Elle a eu la grippe.
Nous avons été malades.	Nous avons eu la grippe.
Vous avez été malades.	Vous avez eu la grippe.
Ils ont été malades.	Ils ont eu la grippe.

410 Recopie ces phrases et complète avec des pronoms personnels sujets. ★

… as eu des idées. — … ont été de bonne humeur toute la journée. — … a été absent pendant une semaine. — … avez eu des ennuis. — … ai été heureux de te voir. — … a eu raison de revenir.

411 Recopie ces phrases et complète avec ces formes du verbe être. ★

ai été – as été – a été – avons été – avez été – ont été

Nous … dans le doute. — Les rivières … en crue pendant un mois. — J'… malade la semaine dernière. — Marlène … autorisée à sortir. — Vous … au repos. — Tu … au rendez-vous.

412 Recopie ces phrases et complète avec ces formes du verbe avoir. ★

ai eu – as eu – a eu – avons eu – avez eu – ont eu

Jason … huit ans. — Nous … des papillotes dans nos chaussures. — Tu … de la fièvre. — Vous … des tresses pendant une année. — J'… la meilleure part. — Les chevaux … une double ration d'avoine.

413 **Recopie ces phrases et complète avec le verbe être au passé composé.** ★★

Nous … contents de participer à la fête. — Vous … sous le charme de cette chanteuse. — Les bagages … mis dans le coffre. — L'an dernier, j'… désigné pour soigner le hamster de la classe. — Tu … parfait dans le rôle du Prince Charmant. — L'oncle Ernest … généreux avec ses neveux. — Vous … étonnés par la taille de l'avion.

414 **Recopie ces phrases et complète avec le verbe avoir au passé composé.** ★★

Vous … la visite de vos cousins de Narbonne. — Nous … les oreilles bouchées pendant une minute. — J'… le droit de veiller un peu. — Tu … des images à découper. — Les acteurs … beaucoup de succès. — La chienne … trois petits.

415 **Recopie ces phrases et remplace les sujets en gras par ceux entre parenthèses. Attention aux accords !** ★★★

Nous avons été surpris par l'orage et **nous** avons eu peur.
(Je – Les alpinistes – Vous – Tu)
J'ai eu de bons résultats et **j'**ai été admis au cours élémentaire.
(Nous – Les élèves – Julien)
Tu as eu besoin d'aide pour réparer l'ordinateur.
(Vous – Madame Clève – Nous)

416 **Recopie ces phrases et complète avec le verbe être ou le verbe avoir au passé composé.** ★★★

Nous … une réduction. — La piscine … fermée pendant une semaine. — Les camions … un accident sur l'autoroute. — Vous … le service la semaine dernière. — J'… une bonne note. — Nous … en difficulté. — Valentin … une entorse à la cheville. — Tu … d'accord avec moi. — Nous … dans le noir pendant dix minutes.

417 **Conjugue les verbes en gras de ces expressions à toutes les personnes du passé composé.** ★★★

avoir de l'appétit
être malheureux
avoir des soucis
être chanceux

Conjugaison

Révisions : exercice 456 page 134

56e Leçon — Le passé composé de l'indicatif : verbes du 1er groupe

Comme je n'ai pas trouvé de place assise, je suis resté debout.

Règle

Le passé composé des verbes du 1er groupe se forme avec l'auxiliaire **être** ou **avoir** conjugué **au présent**, suivi du **participe passé du verbe**.

arriver	retrouver
Je suis arrivé en classe.	J'ai retrouvé mes amis.
Tu es arrivé en classe.	Tu as retrouvé tes amis.
Elle est arrivée en classe.	Elle a retrouvé ses amis.
Nous sommes arrivés en classe.	Nous avons retrouvé nos amis.
Vous êtes arrivés en classe.	Vous avez retrouvé vos amis.
Ils sont arrivés en classe.	Ils ont retrouvé leurs amis.

418 Recopie ces phrases et complète avec les verbes qui conviennent. ★

sont rencontrés – as enfoncé – avons confié – suis égaré – avez réchauffé – a marqué – a manqué – ai remarqué – sommes disputés

Tu … les punaises sur le panneau de liège. — J'… que ce blouson avait un défaut. — Nous nous …, mais ce n'était pas grave. — Vous … la pizza dans le four à micro-ondes. — Damien et Corentin se … au centre aéré. — Je me … dans le souterrain. — Les arbitres ont refusé le panier que Dylan … . — Cet élève malade … le cours d'éducation physique. — Nous … un secret à nos amis.

419 Recopie ces phrases et complète avec des pronoms personnels sujets. ★★

… ont emporté des réserves d'eau. — … se sont émerveillés devant les vitrines de Noël. — … ai étalé de la confiture sur ma biscotte. — … t'es contenté de regarder nager tes camarades. — … avez utilisé un marteau pour clouer les planches. — … avons conservé nos anciens jouets.

420 Recopie ces phrases et complète avec le verbe être ou le verbe avoir au présent. ★★

Tu … changé de chaussures et tu … entré dans le gymnase. — Quand vous m'… appelé, je me … retourné. — Nous … trop tardé à nous mettre à table et le soufflé … retombé. — Vous vous … trompés de numéro de téléphone. — Je me … déguisé et j'… participé au carnaval. — Devant la couleuvre, le crapaud n'… pas bougé.

421 Recopie ces phrases et écris les verbes entre parenthèses au passé composé. ★★

Nous (casser) des noix. — Je (rentrer) à la tombée de la nuit. — Tu nous (expliquer) la raison de ton retard. — Le professeur vous (donner) une leçon à apprendre. — Vous (tirer) le bon numéro. — Les voitures (déraper) sur la route mouillée. — Loïc (rester) en classe pour ranger le matériel. — Les parents d'élèves (organiser) une tombola.

422 Recopie ces phrases et écris les verbes entre parenthèses au passé composé. ★★★

La grêle (provoquer) une catastrophe dans les vignes. — Les couches de peinture (transformer) la façade de l'immeuble. — Tu (doubler) ton nombre de points. — Vous (fermer) les yeux car il y avait trop de soleil. — Je (passer) près de chez toi en rentrant du cours de musique. — En téléphonant, nous (rassurer) nos parents.

423 Recopie ces phrases et remplace les sujets en gras par ceux entre parenthèses. Attention : il faudra changer d'autres mots ! ★★★

Je me suis précipité pour aider Agathe à se relever.
(Tu – Guillaume)

Nous nous sommes glissés dans nos sacs de couchage.
(Vous – Sacha et Margaux)

424 Conjugue les verbes en gras de ces expressions à toutes les personnes du passé composé. ★★★

surmonter sa peur
timbrer une enveloppe
écarter les bras
composer un poème

Conjugaison

Révisions : exercice 457 page 134

57e Leçon — Le passé composé de l'indicatif : faire - aller - dire - venir

Laura est allée à Toulon et elle a fait la connaissance de sa cousine.

Règle

Au passé composé, les verbes **faire** et **dire** se conjuguent avec l'**auxiliaire avoir**.

faire	dire
J'ai fait un effort.	J'ai dit merci à Sylvie.
Tu as fait un effort.	Tu as dit merci à Sylvie.
Elle a fait un effort.	Elle a dit merci à Sylvie.
Nous avons fait un effort.	Nous avons dit merci à Sylvie.
Vous avez fait un effort.	Vous avez dit merci à Sylvie.
Ils ont fait un effort.	Ils ont dit merci à Sylvie.

Les verbes **aller** et **venir** se conjuguent avec l'**auxiliaire être**.

aller	venir
Je suis allé à Lyon.	Je suis venu à l'heure.
Tu es allé à Lyon.	Tu es venu à l'heure.
Elle est allée à Lyon.	Elle est venue à l'heure.
Nous sommes allés à Lyon.	Nous sommes venus à l'heure.
Vous êtes allés à Lyon.	Vous êtes venus à l'heure.
Ils sont allés à Lyon.	Ils sont venus à l'heure.

425 Recopie les phrases et complète avec les verbes qui conviennent.

avez fait – as dit – est allé – sommes souvenus – suis revenue – a fait – es allé – êtes venus – avons dit – ai fait

Je … parce que tu me l'as demandé. — Tu … chez la fleuriste. — Vous … la cuisine. — Vous … à notre rencontre. — Tu … que c… livre t'avait plu. — J' … mes débuts de danseur. — Mathieu … ouvri… la fenêtre. — Nous nous … de ta date de naissance. — Nous … un… phrase en anglais. — Le chat … le gros dos.

426 **Recopie ces phrases et complète avec le verbe faire au passé composé.** ★★

Vous ... de la poussière en balayant. — Les ouvriers ... leur travail et maintenant ils se reposent. — Tu ... un dernier tour de piste. — J'... des opérations compliquées. — Nous ... une partie de football dans la cour. — Le cheval ... un saut par-dessus la haie.

427 **Recopie ces phrases et complète avec le verbe aller au passé composé.** ★★

Nous ... dans les coulisses du théâtre. — Tu ... au bord du canal. — Je ... jouer dans le parc. — Vous ... au centre commercial. — Les petites classes ... en promenade. — Lucas ... éteindre la lumière. — Tu ... sur la terrasse. — L'actrice ... se maquiller.

428 **Recopie ces phrases et complète avec le verbe venir au passé composé.** ★★

Le médecin ... car ma sœur était malade. — Je ... à pied. — Nous ... vous aider à ranger les livres de la bibliothèque. — Tu ... t'allonger sur le canapé. — Les moineaux ... nicher sous les toits. — Vous ... par le boulevard Carnot.

429 **Recopie ces phrases et complète avec le verbe dire au passé composé.** ★★

Nous ... le contraire de ce que nous pensions. — Vous ... que l'imprimante était en panne. — Le directeur ... que l'école serait fermée pendant les vacances de février. — J'... une plaisanterie. — Les journalistes ... que le roi allait se marier. — Tu ... un mot à l'oreille de Raphaël.

430 **Recopie ces phrases et écris les verbes entre parenthèses au passé composé.** ★★★

Je (aller) à la piscine et j'(faire) du toboggan. — Tu (revenir) de vacances et tu (dire) que tu t'étais bien amusé. — Les patineuses (faire) des pirouettes et (étonner) le public. — Vous (dire) que les crayons n'étaient pas taillés. — Le cirque (venir) s'installer sur la place. — Nous (faire) nos devoirs et nous (aller) jouer. — Tu (venir) m'apporter un bouquet de fleurs.

Révisions : exercice 458 page 134

58e Leçon — L'imparfait de l'indicatif : être et avoir

Ludovic était content et il avait le sourire.

RÈGLE

À l'imparfait (temps du passé), les verbes **être** et **avoir** ont des formes particulières.

être	avoir
J'étais fatigué.	J'avais mal à la tête.
Tu étais fatigué.	Tu avais mal à la tête.
Elle était fatiguée.	Elle avait mal à la tête.
Nous étions fatigués.	Nous avions mal à la tête.
Vous étiez fatigués.	Vous aviez mal à la tête.
Ils étaient fatigués.	Ils avaient mal à la tête.

Comme quatre terminaisons se prononcent de la même manière, il faut bien chercher le sujet.

431 Recopie ces phrases et place un pronom personnel sujet devant les verbes. ★

... avais mes mains froides.
... avaient leurs vêtements neufs.
... avait une poussière dans son œil.
... avais tes chaussures de sport.
... était devant son bureau.
... étais auprès de tes sœurs.
... étaient dans leur fauteuil.
... étais allongé sur mon lit.

432 Recopie ces phrases, entoure les verbes et complète avec les sujets qui conviennent. ★

j' – Vous – Tu – Camille – Nous – Tu – Nous – Les poissons

À l'école maternelle, ... étais dans la même classe qu'Audrey. — ... étais sagement assis à ta place. — ... avons tous notre nom à côté du portemanteau. — ... n'étions pas assez grands pour toucher le panier. — ... avait un gros rhume. — ... étiez près de l'escalier. — ... étaient dans le petit aquarium. — ... avais un bracelet à ton poignet.

433 **Recopie ces phrases et complète avec ces formes du verbe être à l'imparfait.** ★★

étais – étais – était – étions – étiez – étaient

Vous … prudentes pour traverser les rues. — Pour Noël, j'… pressé d'ouvrir mes cadeaux. — Nous … là quand le défilé a commencé. — Le clown … rigolo avec son pantalon troué et sa chemise à carreaux. — Même s'ils ne bougeaient pas, ces crocodiles … bien vivants. — J'… caché derrière le mur.

434 **Recopie ces phrases et complète avec ces formes du verbe avoir à l'imparfait.** ★★

avais – avais – avait – avions – aviez – avaient

Les sorcières … de grands nez. — Vous … peur des serpents. — J'… le fou rire en entendant ces histoires drôles. — Tu … un maillot blanc. — Christophe Colomb … du courage. — Nous … beau temps.

435 **Recopie ces phrases et complète avec le verbe être à l'imparfait.** ★★★

Le sable de la plage … tout blanc. — Quand tu as sonné, j'… encore devant mon petit déjeuner. — Vous … timides, mais maintenant vous parlez beaucoup ! — Tu … inscrite au cours de piano. — Les joueurs … prêts ; la partie pouvait commencer. — Nous … en face des affiches du cinéma.

436 **Recopie ces phrases et complète avec le verbe avoir à l'imparfait.** ★★★

Tu … une maquette de bateau dans ta chambre. — Nous … des ciseaux à bouts ronds. — J'… des piqûres de moustique sur les jambes. — Les majorettes … de belles tenues. — Vous … un pot de colle à votre disposition. — Tintin … le capitaine Haddock comme ami.

437 **Recopie ces phrases et complète avec le verbe être ou le verbe avoir à l'imparfait.** ★★★

Vous … riches car vous … dix euros dans votre porte-monnaie. — Le temps … sec et il n'y … pas de vent. — Même si les arbres n'… pas encore de feuilles, nous … bien au printemps. — Tu … tout seul dans le noir et tu … peur. — Nous … fatigués et nous … sommeil.

Révisions : exercice 459 page 134

59e Leçon — L'imparfait de l'indicatif : verbes du 1er groupe

Tu passais l'aspirateur pendant que ton frère essuyait les meubles.

Règle

À l'imparfait (temps du passé), tous les **verbes du 1er groupe** ont les **mêmes terminaisons.**

rentrer	goûter
Je rentrais à la maison.	Je goûtais dans la cuisine.
Tu rentrais à la maison.	Tu goûtais dans la cuisine.
Elle rentrait à la maison.	Elle goûtait dans la cuisine.
Nous rentrions à la maison.	Nous goûtions dans la cuisine.
Vous rentriez à la maison.	Vous goûtiez dans la cuisine.
Ils rentraient à la maison.	Ils goûtaient dans la cuisine.

438 Recopie ces phrases et complète avec les verbes qui conviennent. ★

collions – parfumaient – s'énervait – interrogeait – sépariez – habitaient – montrais – croquais

Je … mes dessins à mes parents. — Les bougies … l'air de la salle à manger. — Vous … les carrés blancs des carrés noirs. — Tu … des dragées sans te faire mal aux dents. — Nous … des étiquettes sur nos cahiers. — Le professeur … les élèves. — Félix ne … jamais. — Les hommes préhistoriques … dans des grottes.

439 Recopie ces phrases et complète avec les terminaisons de l'imparfait qui conviennent. ★

Les voitures occup… toutes les places du parking. — L'aigle fix… sa proie de ses yeux perçants. — Tu espér… recevoir une récompense. — J'adress… de grands signes à Charlotte pour qu'elle m'attende. — Nous observ… les fourmis qui transport… des miettes de pain. — Vous entour… les paquets-cadeaux de rubans roses.

440 **Recopie ces phrases et écris les verbes entre parenthèses à l'imparfait.** ★★

Les spectateurs (agiter) de petits drapeaux. — Vous (ranger) les ballons dans le placard de la salle de sport. — Tous les mercredis, j'(accompagner) ma sœur à la chorale. — En classe de neige, Nelly (téléphoner) tous les soirs à ses parents.

441 **Recopie ces phrases et écris les verbes entre parenthèses à l'imparfait.** ★★

Au temps des dinosaures, les hommes n'(exister) pas. — Comme les clous (dépasser), tu t'(écorcher) les mains. — Avec mon filet, j'(attraper) beaucoup de papillons. — Nina ne (supporter) pas la vue d'une goutte de sang. — Après l'étude, nous (ramasser) les papiers qui (traîner) sur le sol.

442 **Recopie ces phrases et remplace les sujets en gras par ceux entre parenthèses.** ★★

Le bois (Les bûches) brûlait dans la cheminée. — **Nous** (Je) complétions la grille de mots croisés. — À cinq ans, **vous** (Mourad) nagiez avec une bouée. — **Tu** (Vous) sursautais chaque fois que **la porte** (les volets) claquait. — **Je** (Mélanie) distribuais les feuilles de dessin.

443 **Recopie ces phrases et complète avec les verbes suivants écrits à l'imparfait.** ★★★

aider – réchauffer – gronder – laisser – nettoyer – lasser – user

Autrefois, les vêtements s'... plus vite que maintenant. — Nous ... notre camarade handicapé à descendre dans la cour. — Tu ... tout le monde en racontant toujours la même histoire. — Vous vous ... près du radiateur. — Quand tu avais marché dans la boue, tu ... tes chaussures. — Vous ne ... pas vos livres n'importe où. — Le tonnerre ... toujours après l'éclair.

444 **Conjugue les verbes en gras de ces expressions à toutes les personnes de l'imparfait.** ★★★

contrôler sa respiration
skier sur la piste verte
participer au concours de chant
camper dans une clairière
pédaler dans les descentes
demander des renseignements

Conjugaison

Révisions : exercice 460 page 134

445 **Recopie ces phrases et complète avec un sujet qui peut faire l'action indiquée par le verbe.**

… s'arrête au stop. — … scie une planche. — … traverse la rue sur le passage protégé. — … tient bon le gouvernail. — … arrose ses roses. — … prépare une tarte aux pommes. — … accueille les clients. — … place un hameçon au bout de sa ligne. — … escalade la montagne. — … découpe un morceau de viande. Voir leçon 44

446 **Recopie ces phrases et complète avec les verbes qui conviennent.**

recopiaient – recopies – recopierons – supporte – supporterez

Tu … le résumé sur ton cahier du jour. — Tout à l'heure, nous … l'adresse de nos amis sur notre répertoire. — Autrefois, les moines … tous les livres sur des parchemins. — Vous ne … pas longtemps le bruit de la tondeuse à gazon. — Je ne … pas que l'on touche à mes affaires. Voir leçon 45

447 **Recopie ces phrases et complète avec le verbe être ou le verbe avoir au présent.**

En avril, les cerisiers … en fleur. — J'… un vélo avec des freins efficaces. — La princesse … des bagues et des colliers. — Je … heureux de te savoir en bonne santé. — Tu … un appareil dentaire. — Tu … bien à l'abri sous ton parapluie. — L'acteur principal du film … devant la caméra. — Nous … en admiration devant ces acrobates. — …-vous une adresse Internet ? Voir leçon 4

448 **Recopie ces phrases et écris les verbes entre parenthèses au présent.**

Tu (continuer) à lire l'histoire que tu as commencée. — J'(avaler) un gros morceau de pain. — Les billes (rouler) sur le parquet. — Vous (inventer) une histoire. — Karine (retrouver) son carnet au fond d'un tiroir. — Les rats (ronger) un morceau de fromage. — Nous nous (coucher) toujours de bonne heure. Voir leçon 4

449 **Recopie ces phrases et complète avec le verbe faire au présent.**

Maman ... réparer sa voiture. — Tous les samedis, je ... du judo avec un moniteur. — Tu ... le difficile en refusant cette part de tarte. — Nous ne ... pas toujours ce que nous voulons. Voir leçon 48

450 **Recopie ces phrases et complète avec le verbe aller au présent.**

Ces cadeaux me ... droit au cœur. — Je ... allumer la lampe. — Tu ... droit au but. — Le soleil ... se coucher d'ici peu. Voir leçon 49

451 **Recopie ces phrases et complète avec le verbe dire au présent.**

Nous ... que cette sonnerie est amusante. — Je ... que mes parents travaillent souvent. — Tu ... que tu as mal aux dents. Voir leçon 50

452 **Recopie ces phrases et complète avec le verbe venir au présent.**

Julie ... d'apprendre qu'elle a gagné ! — Ces marins ... secourir les naufragés. — Vous ... vous inscrire au cours de tennis. Voir leçon 51

453 **Recopie ces phrases et complète avec le verbe être ou le verbe avoir au futur.**

Pour nettoyer la moquette, un aspirateur ... utile. — S'il fait beau, Marion ... envie de se promener. — Tu ... une nouvelle jupe. — Quand ils ... terminés, ces immeubles ... belle allure. Voir leçon 52

454 **Recopie ces phrases et écris les verbes entre parenthèses au futur.**

J'(échanger) mes bons de réduction contre un jeu de petits chevaux. — Le tigre (dévorer) la viande que le gardien du zoo lui (apporter). — Nous (détacher) les anciennes photographies qui sont au mur. — Les hirondelles (voler) au ras de l'eau. Voir leçon 53

455 **Recopie ces phrases et écris les verbes entre parenthèses au futur.**

Tu (venir) assister au gala de danse. — Si vous vous entraînez, vous (faire) trois kilomètres en courant. — Vous ne (dire) plus que je vous ai oubliés. — En février, nous (aller) skier en Savoie. Voir leçon 54

456 **Recopie ces phrases et complète avec le verbe être ou le verbe avoir au passé composé.**

Les exercices … corrigés. — J'… du mal à retenir cette leçon. — Vous … intéressés par ce dessin animé. — Les pompiers … du sang-froid. — Le chien … du flair. — Nous … en arrêt devant cette belle voiture. — J'… trop curieux.

Voir leçon 55

457 **Recopie ces phrases et complète avec ces verbes.**

ont échappé – a renseigné – êtes arrivés – ont réconforté – suis passé – as manqué – est tombé – avez avancé

Tu … la cible que tu visais. — Vous … vos pions. — Vous … au sommet de la colline. — Rayan … une personne égarée. — Le seau … au fond du puits. — Les secouristes … le blessé. — Les lièvres … aux chasseurs. — Je … par hasard dans ce quartier.

Voir leçon 56

458 **Recopie ces phrases et écris les verbes entre parenthèses au passé composé.**

Antonin (aller) chez le dentiste. — Vous (faire) des erreurs. — Nous (faire) la vaisselle. — Les musiciens (revenir) saluer le public. — Tu (dire) que les pneus de ton vélo étaient dégonflés. — J'(faire) un tour de manège. — Les bûcherons (aller) couper du bois.

Voir leçon 5

459 **Recopie ces phrases et complète avec le verbe être ou le verbe avoir à l'imparfait.**

Les cordes n'… pas assez solides et le panneau est tombé. — Cet enfant bagarreur … souvent puni. — J'… chaud car la couverture … en laine. — Vous … en promenade et vous … un sac avec des provisions. — Il y … des carottes au menu.

Voir leçon 5

460 **Recopie ces phrases et écris les verbes entre parenthèses à l'imparfait.**

Quand les voisins (frapper) au mur, tu (baisser) le son. — Quand il (être) petit, Brice (ressembler) à son papa. — J'(imaginer) que le lac de Nantua (être) plus grand. — Lorsqu'il (avoir) bien mangé, le chat de Jessy (ronronner). — Comme la nuit (être) claire, les étoiles (briller).

Voir leçon 5

Annexes

LES MOTS VARIABLES		
Noms		
Noms communs	Ils désignent, en général : – des êtres, – des objets, – des lieux, – des actions, – des qualités…	 un frère – une chatte un vélo – une chaise un pays – une ville un saut – la course le courage – la force
Noms propres	Ils désignent, en particulier : – des êtres, – des lieux, – des fêtes, – des monuments…	 Julie – Astérix la France – Paris Noël – Pâques le château de Versailles
Déterminants		
Articles	Ils indiquent le genre et/ou le nombre des noms.	le feu – la rue – l'âge un doigt – une main au lit – du pain les bancs – des règles aux environs
Autres déterminants	Ils marquent : – l'appartenance, – le nombre, – ce que l'on montre.	 mon – nos – leur… trois – dix – trente… ce – cet – cette – ces
Adjectifs qualificatifs		
Ils s'accordent avec les noms qu'ils caractérisent. Ils peuvent être placés avant ou après le nom.		un long moment – une longue journée un grand trait – un trait épais

Pronoms personnels sujets	
Ils remplacent un nom ou un groupe nominal sujets.	Il court. Nous partons. Elles courent.

Verbes	
Ils indiquent : – une action, – un état. Ce sont les mots essentiels de la phrase.	L'élève écoute. L'élève semble calme.

LES MOTS INVARIABLES

Adverbes	
Ils modifient ou ils précisent un verbe ou un adjectif. Beaucoup se terminent en **-ment**.	hier – demain – assez – plus – bien… tristement – calmement – vivement – finement…

Des mots invariables qu'il faut connaître

avec – pour – comme – par – sur – contre
rien – sauf – entre – car – mais
maintenant – avant – pendant
moins – plus – assez – beaucoup – trop
après – très – aussi
ici – parmi – loin – chez – autour
longtemps – toujours – jamais
aujourd'hui – hier – demain
dessus – dessous – devant – derrière
alors – lorsque – dehors
sans – dans – dedans
depuis – enfin – ensuite – encore
aussitôt – bientôt

Le verbe être

ÊTRE	
présent de l'indicatif	**futur simple de l'indicatif**
je suis tu es elle est nous sommes vous êtes ils sont	je serai tu seras elle sera nous serons vous serez ils seront
passé composé de l'indicatif	**imparfait de l'indicatif**
j'ai été tu as été elle a été nous avons été vous avez été ils ont été	j'étais tu étais elle était nous étions vous étiez ils étaient

Le verbe avoir

AVOIR	
présent de l'indicatif	**futur simple de l'indicatif**
j'ai tu as elle a nous avons vous avez ils ont	j'aurai tu auras elle aura nous aurons vous aurez ils auront
passé composé de l'indicatif	**imparfait de l'indicatif**
j'ai eu tu as eu elle a eu nous avons eu vous avez eu ils ont eu	j'avais tu avais elle avait nous avions vous aviez ils avaient

Les verbes du 1er groupe

PARLER	
présent de l'indicatif	**futur simple de l'indicatif**
je parle tu parles elle parle nous parlons vous parlez ils parlent	je parlerai tu parleras elle parlera nous parlerons vous parlerez ils parleront
passé composé de l'indicatif	**imparfait de l'indicatif**
j'ai parlé tu as parlé elle a parlé nous avons parlé vous avez parlé ils ont parlé	je parlais tu parlais elle parlait nous parlions vous parliez ils parlaient

Le verbe faire

FAIRE	
présent de l'indicatif	**futur simple de l'indicatif**
je fais tu fais elle fait nous faisons vous faites ils font	je ferai tu feras elle fera nous ferons vous ferez ils feront
passé composé de l'indicatif	**imparfait de l'indicatif**
j'ai fait tu as fait elle a fait nous avons fait vous avez fait ils ont fait	je faisais tu faisais elle faisait nous faisions vous faisiez ils faisaient

Le verbe aller

ALLER	
présent de l'indicatif	**futur simple de l'indicatif**
je vais tu vas elle va nous allons vous allez ils vont	j'irai tu iras elle ira nous irons vous irez ils iront
passé composé de l'indicatif	**imparfait de l'indicatif**
je suis allé(e) tu es allé(e) elle est allée nous sommes allé(e)s vous êtes allé(e)s ils sont allés	j'allais tu allais elle allait nous allions vous alliez ils allaient

Le verbe dire

DIRE	
présent de l'indicatif	**futur simple de l'indicatif**
je dis tu dis elle dit nous disons vous dites ils disent	je dirai tu diras elle dira nous dirons vous direz ils diront
passé composé de l'indicatif	**imparfait de l'indicatif**
j'ai dit tu as dit elle a dit nous avons dit vous avez dit ils ont dit	je disais tu disais elle disait nous disions vous disiez ils disaient

Le verbe venir

VENIR	
présent de l'indicatif	**futur simple de l'indicatif**
je viens tu viens elle vient nous venons vous venez ils viennent	je viendrai tu viendras elle viendra nous viendrons vous viendrez ils viendront
passé composé de l'indicatif	**imparfait de l'indicatif**
je suis venu(e) tu es venu(e) elle est venue nous sommes venu(e)s vous êtes venu(e)s ils sont venus	je venais tu venais elle venait nous venions vous veniez ils venaient

Achevé d'imprimer en Italie par Rotolito Lombarda
Dépôt légal : 06/2010 - Collection n° 14 - Edition 03
11/7399/6